LE BREXIT VA RÉUSSIR

Marc Roche

LE BREXIT VA RÉUSSIR

L'Europe au bord de l'explosion

Albin Michel

À Paul

Ce noble trône de rois, cette île porteuse de sceptres,
Cette terre de majesté, cette résidence de Mars,
Cet autre Éden, ce demi-paradis,
Cette forteresse bâtie par la Nature pour elle-même,
Contre la contagion et la main de la guerre,
Cette heureuse race d'hommes, ce petit univers,
Cette pierre précieuse sertie dans une mer d'argent,
Qui fait pour elle office de rempart,
Ou de douve défendant la maison,
Contre la jalousie de pays moins heureux,
Cette parcelle bénie, cette terre, ce royaume,
    cette Angleterre [...].

William Shakespeare (1564-1616)
La Tragédie du roi Richard II, acte II, scène I

Gallimard, 1998 pour la traduction française
de Jean-Michel Déprats

Prologue

Le journaliste David Dimbleby est une icône du style british : élégant, toujours pondéré à l'antenne, un rien raide avec cette manière de parler en coin et l'obligatoire réserve des soirées électorales de la BBC. Mais à 4 h 40 du matin en ce vendredi 24 juin 2016, même le flegme légendaire du présentateur star de la chaîne publique a craqué lorsqu'il annonce : « Le peuple a parlé. Nous quittons l'Union européenne. »

Le ciel m'était tombé sur la tête. J'étais KO. L'effarement se mêlait à l'incompréhension et à la colère. J'étais un *remainer* convaincu et fier de l'être. Avec le référendum, je pensais que le problème de l'appartenance du Royaume-Uni à l'Union européenne, qui n'avait cessé d'empoisonner la vie politique depuis l'adhésion du pays, en 1973, allait être réglé une fois pour toutes. Je croyais dur comme fer que l'intérêt du Royaume-Uni, dont la singularité a toujours été d'être rebelle en Europe, était bien au sein de l'UE où il bénéficiait d'un statut privilégié : un pied dedans, un pied dehors, jamais de plain-pied.

De surcroît, la structure actuelle de l'Union européenne avait été façonnée par et pour les Britanniques.

11

Londres avait été à l'origine du marché unique, de l'union douanière et de l'élargissement. Il avait formaté la Cour de justice européenne. Au sein de la Commission, ses représentants successifs avaient décroché les portefeuilles les plus puissants dans les domaines de prédilection de la diplomatie britannique : les services financiers, le commerce international, le marché intérieur et la recherche et le développement.

Au nom de cette position exceptionnelle, Albion avait demandé inlassablement et obtenu de ses partenaires toujours accommodants d'innombrables avantages spéciaux. Londres ne participait ni à l'espace Schengen, où le franchissement des frontières intérieures s'effectue librement, sans passeport et sans contrôle, ni à l'euro. Et l'anglais était devenu l'unique langue de travail des institutions européennes. Que vouloir de plus ?

Mais je m'étais totalement trompé. Le 23 juin 2016 a marqué une cassure profonde dans la formidable épopée de la construction européenne. Celle-ci ne peut plus rêver d'être un nouveau Saint-Empire germanique destiné à durer mille ans. En une nuit, le château de cartes, patiemment empilées depuis les années 1950, s'est brutalement effondré. Plus rien ne sera comme avant.

Comment, au fil des mois, le *remainer* de cœur a-t-il progressivement changé d'avis pour devenir un *brexiter* de raison ? Quels faits saillants m'ont amené à remettre en question mes idéaux pro-européens ? Pourquoi ai-je cru dès le départ à la réalité du Brexit alors que le Vieux Continent et mon propre entourage étaient certains que le processus était réversible ? Comment expliquer que le Royaume-Uni est en train de gagner la bataille ?

Quatre questions, une réponse. Je n'ai nulle envie de me tromper une deuxième fois.

Prenant leurs désirs pour la réalité, les Vingt-Sept minimisent à leurs risques et périls la menace que constituent l'Angleterre post-Brexit et son modèle spécifique. La pensée unique affirme qu'il n'est de salut hors de l'Union européenne. Seul, le royaume ne peut qu'aller à la catastrophe. Le pays jadis glorieux est moqué partout d'abondance, à la mesure, il est vrai, de son arrogance donneuse de leçons et de sa prétention à être le berceau de la démocratie parlementaire. Avec une sorte de gourmandise féroce, les confrères français, allemands, italiens ou grecs ont décidé que cette bizarre contrée, affublée d'un peuple étrange, est dorénavant l'homme malade de l'Europe.

Au contraire, je suis désormais certain que les membres de l'UE se fourvoient par morgue. Le dessein européen de cette nation, qui fut jadis maîtresse des océans et gérante du plus grand empire de tous les temps, n'est que récent et momentané. C'est aussi simple que cela.

C'est le fil rouge de ce livre. Ce dangereux aveuglement du Vieux Continent m'a amené à écrire cet essai qui va scandaliser bon nombre de mes amis pro-européens des deux côtés de la Manche.

Certes, le Brexit fera incontestablement mal à court terme au Royaume-Uni. Mais comme l'a dit Nietzsche, « Ce qui ne tue pas rend plus fort ». Le pays d'Elizabeth II sera prochainement libre de reprendre sa course au grand large pour se forger un nouveau destin, à la fois plus britannique et plus planétaire. Il va accoucher d'un pays non pas meilleur mais différent, plus inégalitaire, mais en même temps plus ouvert, ayant réglé son problème migratoire, débarrassé du populisme.

Je vais plus loin : pour affronter avec succès les défis de la mondialisation, de l'automation et de la vague migratoire, les Vingt-Sept vont être obligés d'importer des pans entiers du modèle planétaire anglais. Et nous nous en porterons mieux. Faute de quoi l'Union européenne, ainsi que le disait Byron de l'Italie, ne sera plus que la triste mère d'un empire mort.

Cet essai est fondé sur plus d'une centaine d'entretiens réalisés non seulement à Londres, mais à Bruxelles, Paris, Milan, Francfort, Washington et Hong Kong.

Restait à trouver un personnage qui incarne au mieux ce brillant avenir. Mon choix s'est porté sur la reine Elizabeth II !

À première vue, la sélection de ce grand témoin est paradoxal, comme si la souveraine, chantre du conservatisme et des vertus traditionnelles, pouvait incarner, à 92 ans, la nouvelle Angleterre revigorée et conquérante. Mais le décor glamour des fastes et des pompes des Windsor dissimule une vraie puissance. Raconter le Brexit par le truchement d'Elizabeth II s'imposait donc.

Tout d'abord parce qu'au cours d'un règne exceptionnellement long, la Reine a incarné toute l'histoire contemporaine du Royaume-Uni, de l'Europe et du monde. Montée sur le trône en 1952, quand la Chambre des communes avait refusé le projet des pères fondateurs du Marché commun, elle a accompagné le retour du royaume en Europe et, aujourd'hui, sa sortie. Survenu au crépuscule de son règne, le Brexit referme un cycle historique dans un jeu d'ombres chinoises. Le spectacle débute par le passage des silhouettes de Vincent

Auriol et de Winston Churchill, et se termine par celles d'Emmanuel Macron et de Theresa May.

Ensuite parce que, en 2007, j'ai écrit la première biographie officieuse de la Reine en français. En plus de trois décennies de correspondance à Londres, je l'ai souvent rencontrée dans l'exercice de ses fonctions officielles, ainsi que la plupart des membres de sa famille. J'ai aussi appris à décoder le fonctionnement de l'une des institutions les plus anachroniques du monde, la monarchie britannique.

Depuis le référendum du 23 juin 2016, Elizabeth II ne s'est jamais départie de sa stricte neutralité sur le Brexit. Elle n'a jamais fait la moindre confidence, à l'inverse de ce qui s'était passé à l'occasion de la consultation sur l'indépendance de l'Écosse, le 18 septembre 2014, lorsqu'elle était intervenue publiquement pour soutenir le maintien du statu quo. Dans une société britannique profondément fracturée, rien n'a jamais transpiré de son opinion. Même les valets indélicats et les ministres indiscrets n'ont pas trouvé le moindre potin sur la question qui fragmente profondément son peuple en deux camps irréconciliables.

Reste que je n'ai pas le moindre doute. Si Sa Majesté, que la tradition qualifie sans autre examen de gracieuse, avait pu voter lors du référendum, elle aurait donné son suffrage au Brexit.

1.

Moi, sujet de Sa Majesté
que l'on dit gracieuse

Chaque soir, avant d'aller se coucher, Elizabeth II consigne à la main les événements du jour dans son journal intime. Si, en public, la Reine garde la même impassibilité dans les situations les plus dramatiques que dans les occasions mondaines, elle peut se libérer en mettant sur papier dans un petit cahier à couverture noire les souvenirs intimes. Elle peut écrire en toute liberté car les fuites sont impossibles. Ses carnets personnels sont frappés du « secret-défense ». À sa mort, les documents seront versés dans les archives royales, gardées comme Fort Knox, du château de Windsor, inaccessibles pour l'éternité.

Officiellement, sur le Brexit, le chef de l'État, de l'Église anglicane, des armées et du Commonwealth est resté au-dessus de la mêlée partisane. Il est le seul membre de la famille régnante à ne pas pouvoir voter. Depuis le référendum sur le Brexit, personne n'a jamais rien pu lire sur son visage lourd de secrets qui demeureront tus.

Imaginons-la assise à son secrétaire Chippendale sur lequel sont posés quelques photos de famille en noir

17

et blanc, un buvard, deux encriers, du papier à lettres gravé à ses armes, un coupe-papier portant le chiffre royal et de la cire à cacheter. Elle écrit son journal. La page blanche a été divisée en deux colonnes, la première dresse la liste des arguments des *remainers*, la seconde décline les justifications des *brexiters*.

Dans la colonne du camp du maintien, elle a aligné les projections économiques positives, la politique étrangère commune, la cohésion de son royaume, le poids du statu quo. Ses convictions pro-européennes sont anciennes. Elles sont fondées sur l'expérience de la Seconde Guerre mondiale. Surtout, pourquoi changer ce qui marche ? Telle pourrait être l'antienne d'une personnalité passéiste, rétive aux risques, pour qui toute innovation chamboule le bon vieux système en place qui a fait ses preuves.

Dans la colonne du *leave*, Elizabeth II note le retour de la souveraineté, le destin planétaire et le contrôle de l'immigration. La prééminence du Parlement, le rôle du Commonwealth ainsi que la relation spéciale avec les États-Unis lui sont chers. Douée d'une excellente mémoire, elle garde un souvenir poignant de l'épopée impériale, de son père, George VI, couronné empereur des Indes en 1936, et des affres de la décolonisation.

Les trois piliers de son pouvoir sont également favorables à la reprise de la course au grand large. L'aristocratie, dont sont issues les dames de compagnie, son premier cercle en qui elle a une confiance absolue, constitue un monde fermé, à part. Ses références – ordre, autorité, anti-intelligentsia et culte de l'entre-soi – sont à des années-lumière des valeurs de l'élite cosmopolite et europhile des grandes agglomérations. L'avenir de l'Église anglicane, religion d'État, se situe dans le tiers monde, pas sur le Vieux Continent. L'armée britannique est intégrée à l'OTAN, pas à l'Union européenne. Le reste de la famille royale penche d'ailleurs, dans sa majorité, en faveur du Brexit. La divulgation, en mai 2015, de la correspondance secrète entre le prince Charles et le gouvernement travailliste de Tony Blair a mis en évidence l'hostilité de l'héritier du trône envers la politique agricole commune. Son père, le prince Philip, s'en est pris aux immixtions des eurocrates dans la vie quotidienne. Les petits-enfants, William et Harry, ne parlent pas de langue européenne et s'intéressent plutôt à l'Afrique. La Reine a d'ailleurs désigné le prince Harry représentant auprès de la jeunesse du Commonwealth. À propos du Brexit, celui-ci a confié à son beau-père, Thomas Markle, qu'il s'agissait de « quelque chose que nous devons essayer ».

Lors du référendum, le suffrage universel a tranché. Paradoxalement pour un système monarchique, le souverain constitutionnel *made in Britain* tient sa légitimité du peuple. Dans tous les conflits opposant ce dernier à l'aristocratie, l'institution royale s'est toujours rangée derrière la bannière populaire. Lors des visites en province, ce sont les petites gens qui, présents en masse, crient « Vive la Reine » et agitent des drapeaux aux armes de l'Union Jack. Or l'Angleterre des villes moyennes et des campagnes a plébiscité le retrait.

Derrière la reine, la femme. Une femme qui n'est jamais aussi heureuse, souriante et détendue qu'à la campagne. Sans l'avoir jamais dit, Elizabeth II a laissé entendre que si elle avait eu le choix, elle aurait volontiers échangé son existence royale contre un type de vie rural. La souveraine partage avec la gentry le goût du grand air, l'amour des chiens et des chevaux, la chasse au fusil, les pique-niques et les bouquets de fleurs champêtres.

Sa conception de la campagne n'est toutefois pas celle d'aujourd'hui : yuppies jouant aux aristocrates, relais châteaux pour parties fines, 4 × 4 rutilants affichés comme signe extérieur de richesse. Sa conception à elle, ce sont les grandes demeures d'antan, leur nombreuse domesticité, la chasse à courre et les bals de débutantes. Un univers blanc, chrétien et anglo-saxon, fait de rites et de croyances.

La seule association dont elle est membre est le Women's Institute, mouvement rural féminin fondé en 1915 « pour conserver une Angleterre verdoyante et aimable ». Un monde désuet où l'on échange des recettes de cuisine et de confitures, où l'on chante des cantiques tout en tricotant. Ici on appelle encore la châtelaine « Lady », l'épouse du médecin « madame » et la fermière par son prénom. Cet univers-là, à l'abri des influences extérieures, a embrassé la rupture avec l'UE.

La Reine fait l'addition des avantages et des inconvénients. Le résultat est sans appel. Les arguments en faveur du départ s'imposent haut la main. Mais à cause des clivages et des fractures à l'intérieur de toutes les familles politiques, elle est contrainte de rester à jamais muette sur le sujet.

Dans ces conditions, que penser des couleurs du chapeau bleu, surmonté de fleurs au cœur jaune que le monarque arborait, le 22 juin 2017, pour l'ouverture de la session parlementaire ? Elles rappelaient l'aspect du drapeau de l'Union européenne. Loin d'être un geste anti-Brexit, la coiffe n'était qu'un effet trompe-l'œil destiné à brouiller les pistes. Parfois, l'humour au second degré s'avère un exercice délicat proche de la désinformation royale.

Tel est le portrait de la souveraine dont je vais devenir le sujet sans pour autant renoncer à ma nationalité belge. Avant le référendum, je n'aurais jamais pensé à prendre la citoyenneté britannique. En tant que ressortissant d'un pays de l'Union, je me sentais chez moi à Londres. Belge de naissance mais culturellement français, j'étais devenu au fil de plus de trois décennies plus anglais que les Anglais. Toutefois, à la suite du résultat du 23 juin 2016, je me suis dit : « Mais que va-t-il se passer dans les prochaines années ? » J'ai été saisi par un sentiment d'urgence. Dans le climat délétère créé par le Brexit, je me méfie des promesses des politiciens.

Le Brexit a douloureusement affecté mon existence. Plus qu'un bouleversement, l'issue de la consultation a provoqué une véritable révolution dans un pays qui n'en avait jamais connu. Selon l'historien Robert Tombs, un *brexiter* expert de la France, son impact au Royaume-Uni équivaut à la tourmente des années 1870 dans l'Hexagone, l'annexion de l'Alsace par l'Allemagne victorieuse, la répression sanglante de la Commune et la bataille de la laïcité. Le choc a été d'autant plus rude que je n'avais rien vu venir.

La première raison de cet aveuglement est simple : je ne connaissais pas un seul *brexiter* ! Mon entourage a voté « *remain* » comme un seul homme. Je soupçonnais l'un ou l'autre de mes amis les plus droitiers d'avoir fait le choix inverse, mais, redoutant sans doute mes plaisanteries méprisantes, ils ont préféré taire leur décision en bottant en touche. Tout va très bien, madame la marquise ! Bien au chaud dans le cocon protecteur

21

de l'Union européenne, j'aurais pu écouter *ad vitam æternam* la célèbre chanson. J'avais tort sur toute la ligne. Le pays profond qui fait les élections voulait claquer la porte.

La seconde raison est que l'essentiel de mon activité professionnelle a consisté à couvrir la City. Or la communauté qui travaille dans la plus ancienne et la plus importante place financière européenne, voire mondiale, a défendu férocement l'ancrage à l'UE. En tant que chroniqueur financier, je ne côtoyais que des professionnels londoniens ou new-yorkais de la finance aussi impressionnants que leur compte en banque. Mes contacts m'invitaient dans les restaurants à la mode qui servent des légumes bouillis au prix du caviar. Quand je quittais Londres pour partir en reportage, c'était pour prendre l'Eurostar ou l'avion aux quatre coins du monde. J'ignorais tout des industrieux et des besogneux de province.

En particulier, je n'avais pas saisi l'importance de la question de l'identité britannique dans le choix du Brexit.

Il est vrai que le concept est difficile à cerner, comme l'explique l'historien conservateur Andrew Roberts : « L'identité compte sans qu'on sache très bien la définir. La liberté ? La tolérance ? La démocratie parlementaire ? La royauté ? Ces symboles existent dans bon nombre de pays de l'UE. La patrie, c'est un peu comme un amour très fort qui n'ose pas dire son nom. »

Il ne s'agissait pas non plus d'une quelconque nostalgie impériale, insiste Andrew Roberts : « De nos jours, les Britanniques ignorent tout de l'histoire de l'empire, présenté dans les manuels scolaires comme une entreprise coloniale sinistre d'exploitation des indigènes. L'empire est mort en 1947 avec l'indépendance de l'Inde et du Pakistan. Et ceux qui ont vécu cette disparition sont décédés. »

Le contrecoup du référendum a été rude. Le Brexit divise familles, amis et collègues de travail. En assistant à des prises de bec parfois haineuses, les deux dessins du dessinateur humoristique Caran d'Ache faisant référence à l'affaire Dreyfus me sont souvent venus à l'esprit. Dans le premier, une tablée discute calmement. « Surtout ne parlons pas de l'affaire », dit l'un des invités. Le second montre les dîneurs en venir aux mains avec comme légende : « Ils en ont parlé. »

Dans la foulée du résultat, les incidents xénophobes visant les ressortissants européens se sont multipliés. La mésaventure survenue à une amie française en août 2016 illustre la montée du rejet des étrangers. À la gare de Cambridge, cette Lyonnaise mariée à un Britannique et qui vit dans la capitale depuis des lustres est apostrophée par un monsieur comme il faut : « Casse-toi dans ton pays, sale Française. » La cité universitaire a pourtant voté massivement contre le Brexit. Des faits comme ceux-là, on pourrait en citer des centaines, voire des milliers, depuis le scrutin.

L'incident dont j'ai été la cible lors d'un débat à la BBC a participé de la même montée des eaux nauséabondes.

Le 29 mars 2017, le Royaume-Uni déclenche officiellement le Brexit en invoquant l'article 50 du traité de Lisbonne qui régit le divorce d'un pays avec l'UE. Les pourparlers entre Londres et Bruxelles sont rapidement dans l'impasse en raison de l'impréparation des négociateurs britanniques. *Dateline London*, l'émission phare

de la chaîne publique consacrée aux questions internationales, m'invite pour avoir mon opinion d'observateur
étranger sur le blocage des négociations.

La « Beeb » a également convié Alex Dean, un essayiste
britannique réputé pour ses convictions populistes. Je
déclare d'emblée que le Royaume-Uni est entièrement
responsable de la paralysie des discussions en raison de
son obsession à parler du futur – l'accord commercial
avec l'Union européenne – au lieu de purger d'abord
le passé, à commencer par le règlement de ses dettes,
par le sort des ressortissants européens et par l'avenir
de la frontière irlandaise. « La position britannique à
Bruxelles est de plus en plus dure à suivre. Dans les
négociations sur le Brexit, le Royaume-Uni est nul. »

Dans la foulée, je répète la vulgate pro-européenne
selon laquelle la petite Angleterre est condamnée à devenir insignifiante dans un monde dominé par les grands
ensembles. Le destin planétaire évoqué par les *brexiters*
est illusoire, faute des ressources pour y parvenir.

Même si, au fond de moi-même, j'ai déjà de sérieux
doutes sur l'argumentaire *remainer*, je les ignore. Je
défends la Commission bec et ongles face à un confrère
dont j'exècre les idées extrémistes.

Alex Dean explose et m'invective : « Comment avez-vous
l'audace d'appeler nul mon pays qui fait l'envie de la
terre entière ? » Le bulldog débonnaire se transforme
en vrai pitbull. Il y a de la morgue impériale dans la
façon d'élever la voix par un péremptoire : « Et vous
m'appelez raciste par-dessus le marché. » Je n'ai bien
sûr jamais utilisé le mot « racisme », qui passe toujours
mal à la télévision. Les échanges tournent à l'aigre.

Le lendemain, le *Daily Express*, le plus europhobe
des tabloïds conservateurs britanniques, c'est tout dire,

monte au créneau pour dénoncer ma prestation. « Les propos de cet europhile de salon suscitent l'indignation de nos lecteurs. » Le quotidien populiste exige de la BBC, sa bête noire, qu'elle fasse des excuses au peuple britannique pour « cet affront ». Dans la foulée, la « Brexifère », l'équivalent outre-Manche de notre fachosphère, se déchaîne. Les insultes à caractère xénophobe fusent. La réaction totalement démesurée est venue rappeler le vieux fond de violence d'un pays qui a connu son lot de persécutions et de révoltes qui ont fini dans le sang.

Au moins, Alex Deane est honnête dans ses convictions. Bon nombre de *brexiters* ont le vote honteux.

Je me souviens d'une conversation peu après le référendum avec des voisins de table originaires de Liverpool rencontrés dans un charmant pub-restaurant de la pittoresque région vallonnée des Cotswolds. Lui, un cinquantenaire sympathique, porte un blazer, un pantalon de velours rouge et une cravate un peu trop voyante, typique des professions libérales de province. Elle arbore la panoplie de la parfaite femme britannique, bon genre mais moyens calculés, tailleur de tweed vert, bijoux discrets.

Il me demande mon sentiment à propos du référendum. Vu le climat électrique qui règne depuis le 23 juin 2016, je réponds avec une prudence de Sioux : « Dans la vie, tout finit par s'arranger. Il en sera de même avec le Brexit. » Le mari répond sur le même ton mesuré : « Bien sûr qu'on trouvera un accord, c'est dans l'intérêt de tous. » Sous la bonhomie et la courtoisie affleure un malaise que trahissent les doigts soudain crispés et les yeux fuyants. Le couple a voté Brexit mais n'ose pas l'admettre en public. La conversation en reste là.

Pourquoi vouloir à tout prix obtenir ce passeport d'une nation dont, théoriquement, la moitié de la population vous déteste ? Combien de fois cette question ne m'a-t-elle pas été posée par des ressortissants européens vivant à Londres qui refusent par principe de suivre ma démarche ! L'accord intervenu entre Londres et Bruxelles sur les ressortissants européens rend la naturalisation inutile dans mon cas spécifique.

La réponse est simple. J'aime profondément ce pays où je suis installé depuis 1985.

L'étrangeté de ma nouvelle patrie potentielle ne cesse de me déconcerter. Comme l'avait constaté Pierre Daninos, créateur du Major Thompson, outre-Manche, le visiteur apprend ce qu'il faut faire quand il a déjà fait ce qu'il ne fallait pas.

Les Britanniques ne peuvent jamais faire comme tout le monde. Les convives venus du Vieux Continent doivent apprendre lors d'un dîner à garder les mains sous la table au lieu de les poser sur le bord, à beurrer le pain au lieu de le consommer seul, par bouchées. Les verres comme les serviettes sont placés à droite. L'exercice est périlleux, fruit de la vénération d'un code de convenances établi.

J'aime aussi la politesse exagérée qui consiste à dire « *sorry* » ou « *please* » à tout bout de champ.

La petite musique de l'humour anglais est toujours amusante, voire grinçante, mais jamais méchante. Les Anglais ont un sixième sens, celui du *non sense*, un défi au sens commun qui démasque la vanité de toute vérité absolue. Les excentriques en sont les figures totémiques. L'autre vertu nationale est la propension à l'autodénigrement consistant à se faire passer pour moins intelligent qu'on ne l'est en réalité.

L'escalade sociale ouvertement affichée comme aux États-Unis ou en Asie est toujours considérée comme un manque d'éducation. Ajoutez qu'à l'exception du foot, la victoire sportive de l'adversaire est saluée d'applaudissements polis. Il faut toujours se montrer fair-play et garder son self-control.

Si je ne les pratique pas, deux disciplines sportives nées outre-Manche sont devenues ma grande passion : le football et le tennis. Quand j'étais correspondant du *Monde* à Londres, je couvrais les grands matchs de Premier League tout comme la quinzaine de Wimbledon. Je savoure encore le souvenir des artistes indépassables et définitifs que j'ai vus évoluer, les Beckham, Ronaldo ou Cantona. Je me souviens comme d'hier de la première victoire à Wimbledon d'un Britannique depuis 1936, l'Écossais Andy Murray, ou du plus long match de tous les temps (183 jeux) opposant Nicolas Mahut à John Isner en 2010.

Images de compétitions, images de foules, images de drames. Le souvenir des tragédies du Heysel et de Hillsborough sous les yeux de centaines de millions de téléspectateurs continue de me hanter. Le sport anglais pour le meilleur comme pour le pire.

Un autre trait éternel et bien vivant du peuple britannique me plaît beaucoup : le « *Dunkirk spirit* ». C'est l'esprit de résistance de juin 1940 lorsque l'Angleterre s'est retrouvée seule face au IIIe Reich pour finalement l'emporter avec l'aide de ses alliés.

Le péril tire des sujets de Sa Majesté ce qu'ils ont de meilleur. La fameuse caricature publiée le 18 juin 1940 par David Low dans l'*Evening Standard* résume parfaitement leur esprit de résistance. Le dessin montre un soldat britannique sur un rocher au milieu d'une mer déchaînée dans la nuit noire et montrant du poing une escadrille de bombardiers ennemis avec la légende : « Tout va bien. Je suis tout seul. »

Chaque fois que je me rends à Westminster, je ne manque jamais de m'arrêter devant la statue de bronze de Winston Churchill érigée à Parliament Square. Conforme à sa légende, l'allure fière et dominatrice, « Winnie », revêtu de son long manteau, une main dans la poche, l'autre tenant une canne, incarne le combat de la liberté. Je porte aux nues Churchill et son indomptable courage dans l'adversité lorsqu'il s'écrie : « Capituler, jamais. » De Gaulle, qui était à Londres lors de la guerre, écrit dans ses *Mémoires* à propos de l'esprit civique de ses hôtes : « C'était un spectacle proprement admirable que de voir chaque Anglais se comporter comme si le salut du pays tenait à sa propre conduite. »

Je suis également un supporter enthousiaste de la royauté britannique. La reine d'Angleterre ne s'est jamais départie de la dignité, du sens du devoir et de l'abnégation qui siéent à la fonction. Dans la confrérie des têtes couronnées européennes, la monarchie constitutionnelle la plus éclatante, la plus solide et la plus médiatisée d'Europe m'a totalement conquis. Je salue son courage et sa constance. Comparées à l'éclat extraordinaire du mariage, le 19 mai 2018, à Windsor, entre le prince Harry et Meghan Markle, les dynasties bénéluxiennes ou scandinaves font « *cheap* ».

Après trois décennies de présence ininterrompue à Londres, je pensais que devenir britannique serait une formalité. Je m'attendais à la voie royale, ce fut le parcours du combattant.

Le document de 82 pages du ministère de l'Intérieur nécessaire pour acquérir le statut de résident permanent, la première étape sur la voie de la naturalisation, est disponible en ligne. Je gâche deux week-ends entiers à remplir ce questionnaire lourd comme une enclume qui est dûment expédié en recommandé. Après trois mois d'attente, ma demande est rejetée car mon numéro de carte de crédit a été refusé.

Visiblement débordé par l'afflux de demandes, le Home Office prend prétexte du moindre couac pour décliner la requête. Le faquin de service aurait pu me téléphoner pour faire la correction. Il n'y a pas de procédure d'appel possible. Je me sens profondément humilié. Tout est à recommencer.

Le refus renforce ma détermination de devenir sujet de la Reine. Je fais appel à un cabinet d'avocats londonien spécialisé dans l'immigration des ressortissants européens. En un tournemain, je reçois le sésame, la carte bleue de résidence permanente.

Étape suivante, l'obtention du passeport à l'effigie d'Elizabeth II. Le processus est long et coûteux, environ 1 500 euros. Vu mon âge, 67 ans, je suis exempté du test de culture britannique, couvrant l'histoire, la politique, les sports ou encore la cuisine. Le futur sujet doit faire allégeance à la Reine et s'engager à respecter les lois et les valeurs démocratiques de la nouvelle patrie lors d'une cérémonie dans la mairie de son quartier.

Je deviendrai sujet de Sa Majesté dans le courant 2019, lorsque le Brexit sera entré en vigueur. Au bout du compte, deux ans d'attente, c'est peu de temps quand on sait qu'il a fallu au moins un siècle de présence en Inde pour savoir faire correctement le thé en apportant la bouilloire à la théière et non pas l'inverse.

2.

Bataille perdue
pour gagner la guerre

Le 13 juillet 2016 en début de soirée, la Daimler passe sous le porche et s'arrête devant l'entrée latérale. Theresa May sort de la voiture et est accueillie par le secrétaire particulier de la Reine qui la conduit dans le bureau d'audience royal situé au premier étage du palais de Buckingham. Pour remplacer, à la tête du gouvernement, David Cameron, démissionnaire après la victoire du camp du départ lors du référendum, le chef de l'État s'est tout naturellement tourné vers celle qui a été unanimement désignée leader par le groupe parlementaire conservateur, majoritaire à la Chambre des communes.

Au moment où elle s'avance pour faire la révérence, la nouvelle Première ministre sent son pouls se précipiter. Pour la première fois, la dévote royaliste se trouve en tête à tête avec sa souveraine. L'occupante des lieux sort de son grand sac noir une feuille de papier sur laquelle elle a griffonné le seul sujet de leur entretien, le Brexit.

Aucun collaborateur n'est admis à cette rencontre, aucun procès-verbal n'est rédigé. Aucune boisson n'est servie, c'est la tradition, pour ne pas perdre de temps. La discussion est à bâtons rompus.

Lorsque, selon le protocole, le chef du gouvernement sort à reculons et que l'huissier a fermé la porte, Elizabeth II s'assoit à sa table de travail pour coucher sur papier ses impressions au sujet de son treizième locataire du 10 Downing Street depuis 1951.

La première perception de May est favorable. Lors de l'audience, la nouvelle Première ministre a fait preuve d'un self-control constant. Énergique, elle a dominé ses émotions. La visiteuse a bien résisté à la pression psychologique de sa première audience royale.

Theresa May est la fille d'un pasteur anglican fervent dont l'assiduité à la tâche, l'austérité dans la mise et l'attachement à l'Union Jack ont formé son caractère. Femme profondément religieuse, gouverneur suprême de l'Église anglicane, Elizabeth II se sent en phase avec la nouvelle venue.

La souveraine aime sa détermination. Visiblement, pour May, il n'est pas question de se laisser intimider par qui que ce soit. Sous sa direction, Albion tiendra la dragée haute à l'Union européenne dont elle a pu mesurer, en tant que ministre de l'Intérieur entre 2010 et 2016, les divisions, les hésitations et l'obsession du compromis. Bien qu'eurosceptique, elle a soutenu le camp du *remain* du bout des lèvres, par peur du changement plus que par conviction.

Le chef de l'État en est persuadé, la députée de Maidenhead est de la trempe de Margaret Thatcher, la dame de fer au pouvoir entre 1979 et 1990, mais plus commode. Comme « Maggie », May estime que rien n'est impossible à condition de le vouloir vraiment. C'est une grande bosseuse, dont l'énergie, bien qu'elle souffre de diabète, force l'admiration d'Elizabeth II qui déteste ceux qui n'arrêtent pas de se plaindre à propos de leur santé.

La seule réserve royale est très secondaire, la vénération que porte Theresa May à Elizabeth Iʳᵉ. « Elle avait une claire vision de ce qu'elle voulait réaliser », a-t-elle déclaré au sujet de la souveraine « au cœur de roi » qui avait hérité d'un royaume faible et divisé qu'elle avait laissé prospère et redouté. La Reine déteste la comparaison avec la fille de Henry VIII et d'Anne Boleyn qu'elle a traitée un jour de « despote célibataire qui n'a jamais eu d'enfants ».

La première appréciation royale de Theresa May est donc globalement positive.

De sensibilité centriste, la Reine est partisane d'une droite modérée qui préfère par nature le consensus à la polarisation. C'est une pragmatique qui, malgré son existence ouatée, juge bien ses interlocuteurs, sans illusions ni indulgence. Pour Elizabeth II, pas de doute, après le traumatisme créé par la victoire du « *out* », Mme May fait figure de cheftaine solide et digne pour un royaume profondément divisé, brusquement plongé en plein psychodrame.

« Étant la Grande-Bretagne, nous allons être à la hauteur de ce défi. En quittant l'Union européenne, nous allons nous forger un rôle à la fois neuf et audacieux dans le monde » : le 13 juillet 2016, sur le seuil du 10 Downing Street, Theresa May s'est drapée dans Kipling, l'un de ses auteurs favoris pour qui « les principes sont les principes, dussent les rivières ruisseler de sang ». Et on va voir ce qu'on va voir.

Face à l'énorme défi de l'heure, May a constitué un cabinet d'union nationale au sein du Parti conservateur. Sa priorité est de ressouder les pro- et anti-Brexit qui se sont étripés pendant la campagne référendaire. Dans son équipe ministérielle, elle a nommé trois des dirigeants de la campagne du *leave* à des postes stratégiques de la négociation à venir avec l'UE. L'ancien maire de Londres, Boris Johnson, est propulsé à la tête du Foreign Office. David Davis et Liam Fox se voient confier deux nouveaux ministères, respectivement le Brexit et le Commerce international. Par souci d'équilibre, des europhiles sont placés aux Finances, à l'Intérieur et à la Défense.

Toutefois, le naturel reprend le dessus au galop... Très vite, le tempérament de la Première ministre l'emporte sur sa volonté d'œcuménisme. Méfiante, renfermée, se laissant difficilement percer à jour, la nouvelle locataire du « Number Ten » délègue peu et tranche seule avec l'aide d'une poignée de conseillers, sûrs et dévoués. Le Brexit se décide au 10 Downing Street et nulle part ailleurs. C'est dans cette modeste maison que sont rassemblés tous les leviers de commande du processus de rupture entre le Royaume-Uni et l'Union européenne. Et plus précisément dans la « War Room » installée au premier étage de la résidence officielle. Un nom symbolique hérité de celui du fameux bunker de Churchill, niché à quelques encablures de là et où en 1940, au milieu des événements déchaînés, le « Vieux Lion » n'avait rien eu d'autre à offrir à la nation que « du sang, du travail, des larmes et de la sueur ».

Le Brexit ne sera pas une croisière sur une mer tranquille. Un seul capitaine donc à la barre et un petit équipage vont affronter les tempêtes qui ne vont pas manquer de se succéder.

Toutefois, pour l'instant, une sorte de « drôle de guerre » prévaut avec les partenaires européens. À part quelques escarmouches, il ne se passe rien, comme entre l'invasion allemande de la Pologne en septembre 1939 et celle de la Norvège en avril 1940. Mais la « *phoney war* » prend définitivement fin le 17 janvier 2017 à Lancaster House quand Theresa May déclenche les hostilités avec Bruxelles.

« Le Royaume-Uni quitte l'Union européenne. Nous n'aurons pas un pied dedans, un pied dehors. Nous ne cherchons pas à garder des morceaux de notre adhésion » : Theresa May a choisi l'interprétation la plus dure de la partition du départ. Cette femme de conviction au service d'une certaine idée de l'Angleterre n'aime pas les solutions médianes.

Dans ce contexte, « *Brexit means Brexit* » (on part, ce qui signifie qu'on part vraiment) devient son mantra.

Retrait total du marché unique et de l'union douanière, contrôle de l'immigration intra-européenne et fin de la compétence de la Cour de justice : telles sont les trois « lignes rouges » fixées par une Première ministre qui entend satisfaire les principales revendications de ceux qui ont voté Brexit.

Le 29 mars 2017, Theresa May donne le feu vert à l'ouverture des négociations de retrait de l'UE en invoquant l'article 50 du traité de Lisbonne. Les deux parties disposent de deux années pour boucler les pourparlers de sortie. C'est peu, à la lumière de l'extrême complexité de la rupture après plus de quatre décennies de vie commune.

Mais, trop sûre d'elle, May a pris cette décision capitale sans avoir mis préalablement au point une position cohérente sur le type de relation que le royaume doit avoir avec l'UE. Le moment clé d'une négociation n'est pas les tractations proprement dites mais la vente de l'accord à ceux qui vous ont mandaté. Or le gouvernement est profondément divisé entre les positions antagonistes des partisans et des adversaires du Brexit.

Le secrétaire général du gouvernement, sir Jeremy Heywood, est désespéré. Le premier des serviteurs de l'État organise non seulement le Conseil des ministres mais est aussi le chef de la fonction publique centrale, le Civil Service. Chaque fois qu'il revient du 10 Downing Street par le couloir souterrain qui lui permet de rallier son bureau de Whitehall, l'artère des grands ministères, il fait peine à voir.

Après le scrutin du 23 juin 2016, l'univers institutionnel britannique s'est effondré. Les gouvernants ont perdu leurs repères. Tout le système est parti à la déglingue, comme ce fut le cas en mai 1940 en France.

Il est vrai qu'avant la consultation, David Cameron avait interdit aux mandarins de préparer le scénario d'une victoire du camp du départ pour ne pas le favoriser. La page de la gestion du Brexit est blanche.

Mais en marginalisant Jeremy Heywood, la Première ministre s'est privée de compétences indispensables pour mener à bien la négociation. L'intéressé pourtant n'a pas son pareil pour atteindre un objectif avec détermination, ténacité, et au besoin avec la plus mauvaise foi voire une certaine brutalité.

L'improvisation de Downing Street face au plus grand chantier constitutionnel et économique depuis la guerre

36

le désole. Les conseillers, tous venus du ministère de l'Intérieur, sont totalement dépassés par l'énormité de l'enjeu.

D'autant que le Foreign Office a été dépossédé de sa compétence et de sa centralité sur la scène européenne. Cet effacement prive Londres de la formidable expérience acquise par ses diplomates dans les rudes batailles marathons avec les partenaires européens. Depuis l'adhésion de 1973, le ministère des Affaires étrangères n'a eu cesse de réclamer et d'obtenir avec grand succès une série de révisions des traités.

« Les diplomates britanniques sont meilleurs que les Français en narratif pour expliquer simplement comment on doit se rallier à leur point de vue. Ils sont très durs dans la négociation. Ils ne lâchent rien et savent comment créer la discorde entre partenaires » : les cadres du Quai d'Orsay ne cachent pas leur admiration devant le savoir-faire démontré naguère par la Rolls-Royce de la diplomatie des Vingt-Huit.

Quand Heywood évoque ses inquiétudes devant le manque d'expérience de l'état-major du Brexit, le visage de son interlocutrice se ferme. Le Foreign Office, c'est Boris Johnson qui a été écarté du dossier européen pour ne pas braquer Bruxelles qui déteste ce pourfendeur sans vergogne des « mafias eurocrates ». Le ministre, fidèle à sa légende de clown, multiplie les pantalonnades. Lors de la traditionnelle réception diplomatique donnée par la Reine à Buckingham Palace en décembre 2016, il lance, en bafouillant comme un ivrogne, à l'ambassadeur d'Italie : « Rassurez-vous, je vous laisserai continuer à vendre votre prosecco. » À son collègue allemand, il confie : « On aime l'Allemagne. La preuve, Theresa May porte des Lederhose. »

De telles bravades ne font pas rire du tout la Première ministre qui a jugé bon de transférer au 10 Downing Street la supervision des services de renseignements extérieurs, le MI6, basés jusque-là au Foreign Office. Avec Boris, on n'est jamais trop prudent.

David Davis ne vaut guère mieux. Derrière la bonhomie et les fanfaronnades, le ministre du Brexit est un tire-au-flanc pontifiant et vaniteux. « Il est nul. C'est un type léger et limité pour qui le Brexit est une fin en soi. Il n'a aucune vision de l'avenir de son pays hors de l'Union », confie un négociateur européen dans son bureau du bâtiment Berlaymont, à Bruxelles.

Theresa May en a ras-le-bol des europhobes de son parti qui n'arrêtent pas de lui tailler des croupières. À la Chambre des communes, le gouvernement n'a qu'une faible majorité de 17 députés. Les Tories sont notoirement indisciplinés. Par ailleurs, elle doit absolument asseoir la légitimité électorale qui lui manque en vue des négociations sur le Brexit.

Au printemps 2017, l'alignement des planètes politiques lui apparaît extrêmement propice. Le leader gauchiste de l'opposition travailliste, Jeremy Corbyn, est inaudible. La faiblesse des libéraux-démocrates (centristes) et l'effondrement du parti pour l'indépendance du Royaume-Uni, l'UKIP, privé de sa raison d'être par la victoire du *leave*, placent la droite traditionnelle dans une position dominante sur l'échiquier politique.

Autre point fort de Theresa May : l'économie. Contrairement à certaines prévisions, la victoire des *brexiters* n'a pas entraîné l'apocalypse annoncée par David Cameron, loin de là. Le royaume affiche une bonne croissance alliée à un chômage faible.

La conjoncture internationale lui est également favorable. L'arrivée au pouvoir de Donald Trump a valu à May d'être le premier chef de gouvernement occidental à être reçu à Washington, le 25 janvier 2017, par le nouveau président américain. « Elle sera ma Maggie », a dit, à l'occasion, le nouveau locataire du Bureau ovale en faisant allusion à la séduction réciproque confinant au coup de foudre entre Ronald Reagan et Margaret Thatcher, entre 1981 et 1988. Le chef de l'État américain est un supporter de la première heure du Brexit.

La convocation d'élections anticipées, le 8 juin 2017, est destinée à offrir à Theresa May un raz-de-marée, comme le prédisent les sondages. Nourrie de certitudes et de quiétude par les cinq années de stabilité que lui offrent les institutions, elle pourra mener un Parti conservateur godillot dans lequel la frange anti-européenne serait totalement neutralisée.

À 22 heures, à la fermeture des bureaux de vote, les analystes sont déjà certains : les Tories subissent une défaite. Si elle demeure le premier parti aux Communes, la droite perd sa majorité absolue en raison de la percée inattendue du Labour. Épuisée par la campagne, May marque le coup. Elle pleure dans les bras de son époux, Philip. C'est le coup de massue. Son parti paie le prix d'une piètre campagne menée par un leader trop confiant en sa bonne étoile qui a toujours détesté les bains de foule.

Pour rester au pouvoir, Mme May doit passer un pacte avec le diable personnifié : les unionistes protestants. L'Irlande du Nord a beau avoir massivement voté contre le Brexit, elle est prisonnière de cette petite formation extrémiste eurosceptique[1] dont l'intransigeance risque de remettre en cause l'accord de paix du Vendredi saint de 1998 qui avait mis fin à la guerre civile.

La Première ministre est dangereusement fragilisée lorsqu'elle demande, le 9 juin 2017, à la souveraine de pouvoir former un nouveau gouvernement. Sa voix est blanche mais bien posée. Seuls les yeux brillants, à peine humides, disent l'émotion de la défaite surprise. Face à la Reine, May serre les dents. Mais Elizabeth II n'est pas dupe. Le chef du gouvernement est en sursis.

Son autorité est ouvertement bafouée. Ainsi, lors d'un séminaire organisé le 7 juillet 2017 par David Davis, auquel sont conviés une trentaine d'investisseurs européens, le ministre du Brexit n'a jamais prononcé son nom. C'est fort simple, depuis l'élection, ce sexagénaire très populaire au sein du Parti conservateur ne cache plus ses ambitions de succéder à May si celle-ci devait trébucher.

Encouragés par la déconfiture gouvernementale, les partisans du *remain*, jusque-là assommés par le résultat du référendum, reprennent également du poil de la bête. « Le Brexit n'est pas irréversible », nous dit Lord Kerr, l'un des pères de l'article 50 du traité de Lisbonne sur la possibilité de retrait de l'UE. « Nous n'avons pas franchi le Rubicon. À tout moment nous pouvons changer d'avis si nous le souhaitons. »

---

1. En 1975, les unionistes démocrates dirigés par le célèbre révérend Paisley avaient fait campagne en faveur du « non » au maintien du Royaume-Uni dans l'UE, associée à « l'œcuménisme, Rome, la dictature et l'Antéchrist ».

Quand un Premier ministre est en difficulté, un bon discours devant le congrès de son parti doit lui permettre de rebondir. C'est un moment clé de la vie politique, médiatisé à l'extrême comme le montre la retransmission en direct à la télévision.

Les Tories se réunissent début octobre 2017 à Manchester dans une atmosphère de veillée funèbre. Dans sa suite du Radisson Edwardian, un palace symbole de la splendeur passée du pays cotonnier, Theresa May planche jusqu'à l'aube sur son discours sur le « rêve britannique » destiné à reconquérir son parti et le public.

Désastre. Le discours-programme est sans cesse interrompu par une quinte de toux. Un manifestant parvient à déjouer l'impressionnant dispositif de sécurité pour lui remettre une lettre. Deux lettres se détachent du slogan « *Building a country for everyone* » (« Bâtir un pays pour tous »), placé derrière le pupitre alors qu'elle s'exprime. Après la prestation catastrophique, la presse, qui a pitié d'elle, spécule ouvertement sur sa chute prochaine.

Les pourparlers entre Londres et Bruxelles sont dans l'impasse.

Theresa May doit se rendre à l'évidence, la solution du Brexit « dur » n'est plus tenable. C'est pourquoi, le 22 septembre 2017, dans un discours prononcé à Florence, la Première ministre fait volte-face. Londres opte pour le Brexit « léger » (*soft*).

S'il fallait un visage à ce revirement, Ollie Robbins, le nouveau conseiller du 10 Downing Street pour les affaires européennes, pourrait prêter le sien. Nommé quatre jours plus tôt, le grand commis de l'État a écrit le laïus qui permet enfin de sortir de l'ornière les négociations entre Londres et Bruxelles. Albion a sonné l'heure de la retraite.

Un poids lourd : c'est ainsi qu'apparaît Robbins, un homme massif, puissant, bâti pour les longs efforts. Le chef du gouvernement a confié au haut fonctionnaire britannique qui s'exprime doucement, sans éclats de voix, la conduite effective des négociations du Brexit.

On imagine bien Ollie Robbins en « cow-boy conduisant la caravane, en avant-garde sur son cheval », comme Kissinger s'était lui-même dépeint. À l'instar de « Dear Henry », l'impétrant est un théoricien habité de desseins ambitieux, et d'initiatives. Un type malin, très fin, sous ses fausses allures de garçon boucher. Sa nomination au « Dix » doit mettre fin à la pagaille prévalant au sein de l'équipe dirigeante londonienne.

Sa carrière a été météorique. Robbins a servi quatre Premiers ministres, les travaillistes Tony Blair et Gordon Brown ainsi que les conservateurs David Cameron et Theresa May. Il parvient à dénouer le véritable sac de nœuds de la négociation avec Bruxelles.

L'accord sur la première phase du Brexit est scellé le 8 décembre 2017.

Trois mois plus tard, les Vingt-Sept accordent à Theresa May la période de transition qu'elle demandait avec acharnement, mais seulement jusqu'au 31 décembre 2020. Au cours d'une période de vingt et un mois, le royaume conservera l'accès au marché unique et à l'union douanière. Il continuera à apporter sa contribution au budget communautaire mais sans plus avoir droit au chapitre en tant que pays tiers. C'est court pour que Londres puisse mettre en place des structures administratives idoines qui doivent être créées de toutes pièces, mais c'est mieux que rien.

Quant aux ressortissants de l'UE qui s'installeront au Royaume-Uni durant la période de transition, ils bénéficieront des mêmes droits que ceux arrivés outre-Manche avant le 30 mars 2019.

À l'évidence, l'Union européenne a imposé des conditions léonines très dures. La Commission a obtenu tout ce qu'elle s'était fixé dans sa feuille de route.

C'est une capitulation sans condition, une humiliation pour une puissance qui pouvait se targuer d'avoir vaincu l'Invincible Armada, Napoléon et Hitler.

Ancien directeur de cabinet de Tony Blair, l'ancien diplomate Jonathan Powell a créé l'ONG Intermediate dont la mission est de régler les conflits. L'infatigable Don Quichotte de la paix estime que pour faire jeu égal avec les Européens, Theresa May aurait dû sortir de sa manche trois atouts : une stratégie claire, des négociateurs expérimentés et l'absence d'arrogance. La dame ne disposait d'aucun.

De surcroît, habituée à « diviser pour régner » tout au long de son histoire, l'ex-puissance impériale a été confrontée à l'unité totale des Vingt-Sept qui a permis à l'UE d'être inflexible. « Ce fut une réaction de survie de notre part, basée sur la préservation et sur la démonstration qu'il y a plus d'avantages à rester qu'à partir », explique un diplomate de haut rang en poste à Bruxelles.

Placée dans une situation impossible, Theresa May a finalement bien tiré son épingle du jeu sachant que Bruxelles avait toutes les cartes en main. Elle a sauvé les meubles. C'est tout ce qui lui importait pour mener à bien le processus chaotique du Brexit. Cela n'est pas rien. Face aux événements les plus éprouvants, elle n'a jamais sourcillé devant le torrent d'attaques qui a déferlé sur elle tout au long des négociations désordonnées du Brexit. May est restée intraitable dans la défense de ses « lignes rouges », ce qui lui a valu le respect de ses compatriotes.

« L'approche de Theresa May est typiquement britannique, c'est-à-dire analytique, pragmatique et empirique », souligne, volontiers admiratif, le coordinateur du Parlement européen sur le Brexit, l'ancien Premier ministre belge, Guy Verhofstadt, pour qui « a contrario, l'Union européenne veut une vision, une architecture, et dès qu'on est d'accord sur le cadre général, on peut y inclure tous les domaines de coopération, économie, commerce, sécurité, défense, ainsi que toute coopération thématique souhaitée par les parties ».

La Première ministre est parvenue à joindre les deux bouts, celui du Parti conservateur écartelé entre pro- et anti-Brexit qui n'en finissent pas de s'écharper, et celui de la relation avec l'Union européenne. May a survécu aux démissions, début juillet 2018, de Boris Johnson et de David Davis, opposés au « Brexit doux » préconisé par le Livre blanc britannique favorable au maintien d'un lien étroit avec l'UE.

Une variante du supplice de Tantale auquel Theresa May a finalement bien résisté.

3.

Bruxelles, cour des Miracles

La photographie est entrée dans la légende. Le 19 juin 2017, Michel Barnier, le négociateur européen, et son homologue britannique, David Davis, se rencontrent pour la première fois à Bruxelles, au siège de la Commission. Flanqués chacun de deux collaborateurs, les deux hommes sont tout sourire. Mais si le Français a posé sur la table de verre un gros dossier, l'Anglais n'a apporté aucun document de travail. Le contraste entre la diligence du premier et la désinvolture du second est saisissant.

« En quoi cela va-t-il nous aider ? » Pour ceux qui savent interpréter les codes royaux, Elizabeth II fait part de son déplaisir en regardant le cliché de la première réunion officielle des pourparlers du Brexit publiée à la une de son quotidien favori, le *Daily Telegraph*, préalablement repassé pour ne pas tacher ses doigts.

Sa mémoire remonte dans le temps. C'était hier. Le 1er janvier 1973, le Royaume-Uni avait rejoint la Communauté économique européenne. Les images sont à peine jaunies.

Les souvenirs défilent, incisifs. Le discours du trône, prononcé le 31 octobre 1972, dans lequel elle avait déclaré sans ambages : « Mon gouvernement va jouer pleinement un rôle constructif au sein de la Communauté économique européenne. » Les assurances du Premier ministre, Edward Heath (1970-1974), pro-européen de longue date et artisan de l'adhésion, pour qui « la monarchie pourra profiter beaucoup plus que par le passé des connaissances qu'elle a accumulées à propos du continent européen. Notre participation ne fera qu'amplifier une démarche que la royauté a toujours adoptée ».

La souveraine se remémore le président Pompidou, un grand anglophile, qui avait levé les deux vetos gaulliens, de 1963 et de 1967. Lors de sa visite officielle à Paris, en mai 1972, le chef de l'État français avait commis un grave faux pas diplomatique en lui prenant le bras pour l'aider à monter les marches du palais de l'Élysée. La Reine ne lui en avait pas tenu rigueur. C'était une époque de rapprochement entre Londres et Paris fondé sur une véritable amitié entre Pompidou et Heath.

Toutefois, lorsque Big Ben avait sonné le douzième coup de minuit, l'arrimage au continent succédant à quatre cents ans de course solitaire n'avait donné lieu à aucune célébration populaire. Ni feux d'artifice ni *street parties*. Le début d'une ère nouvelle avait été marqué dans l'indifférence générale de ses sujets.

Le manque d'enthousiasme était compréhensible. Le Royaume-Uni n'avait pas d'autre choix que de rallier la CEE. Dans les années 1960, la nation, privée de ses colonies et de ses dominions désormais indépendants, était devenue « l'homme malade de l'Europe », comme on disait de l'Empire ottoman au XIXe siècle.

Aujourd'hui, après la décision de quitter l'UE, bon nombre de continentaux estiment que le pays est le nouvel « homme malade de l'Europe ». C'est le cas du président de la Commission européenne, Jean-Claude Juncker.

À l'heure du Brexit, l'ancien Premier ministre du Luxembourg entend faire payer à Londres ses récents affronts. Ce grand affectif à la dent dure n'a jamais pardonné au gouvernement britannique d'avoir tenté de torpiller en 2014 sa désignation à la tête de la Commission européenne par l'intermédiaire de vicieuses attaques de la presse tabloïd anglaise.

Le chef de l'exécutif européen a été meurtri par les calomnies répandues par les journaux populaires d'outre-Manche traitant son père de « nazi » alors qu'il avait été la victime du service du travail obligatoire mis en place par le IIIe Reich dans l'Europe occupée. De surcroît, il garde en mémoire les perfidies du *Daily Mail* et du *Sun* pour qui il buvait trop pour accéder à une telle fonction[1].

Le 27 juillet 2016, Jean-Claude Juncker a nommé Michel Barnier pour conduire les négociations sur le Brexit au nom de l'UE. Il fait du Français l'arme de sa revanche.

En effet, l'ancien commissaire au marché intérieur et aux services financiers (2010-2014) est l'ennemi public numéro un de la City. Tout au long de son mandat, les officiels britanniques avaient mené une « guéguerre » incessante à coups de vilains croche-pattes contre le Savoyard soucieux de pousser les feux de la réglementation bancaire dans la foulée de la crise financière. Cet homme de terrain, sérieux et besogneux, rétif aux bons mots et aux déclarations enflammées, avait durement secoué les caciques de la City adeptes d'une régulation

---

1. « Jean-Claude Juncker, verre de rage », *Libération*, 13 septembre 2016.

47

minimaliste. Les vingt-huit textes réglementaires des marchés qu'il a fait adopter avaient valu à Barnier de solides inimitiés sur les rives de la Tamise.

Après ses deux postes de commissaire européen, Michel Barnier avait fait acte de candidature à la présidence de la Commission européenne. Juncker avait été finalement choisi par les chefs d'État et de gouvernement pour ce que le Luxembourgeois n'était pas : un caractère, une personnalité, fût-elle encombrante, ou un visionnaire. Le Français avait été laissé sur le carreau sans le moindre mandat électif. Bon prince, Juncker lui avait confié quelques missions sans grande importance.

Précisément, la moindre énigme de cette sortie fulgurante du placard n'est certes pas l'entente entre les deux fauves de la politique européenne qui n'ont cessé de se renvoyer l'ascenseur. Qui aurait pu prévoir que cet attelage paradoxal tirerait le char du Brexit à Bruxelles ?

Les deux hommes avaient été éjectés du pouvoir. Cela ne les a pas empêchés de rebondir comme si de rien n'était. À l'inverse, au Royaume-Uni, il n'y a pas de seconde chance. L'idée est de favoriser ainsi le renouvellement de la vie politique et d'éviter les conflits d'intérêts. Ceux qui restent trop longtemps aux commandes finissent mal, comme on a pu le constater avec Lloyd George, Margaret Thatcher ou Tony Blair.

Toutefois, depuis la désignation de Barnier à la tête de l'équipe de négociation, la trajectoire du duo diffère.

À la tête de la Commission, Juncker gâche tout ce qu'il touche. Il est usé par le pouvoir et l'excès des plaisirs de la vie. Derrière son slogan creux, « On va faire moins mais mieux », il ne fait rien.

En revanche, Michel Barnier a fait un sans-faute au

point de rêver de succéder au pauvre Juncker à la fin de son mandat en 2019.

Dans l'affaire du Brexit, la connaissance qu'a acquise Barnier de la machinerie administrative européenne au fil de ses deux postes de commissaire a fait merveille. Les bonnes relations tissées avec les gouvernements et les parlementaires nationaux des Vingt-Sept constamment tenus au courant de l'évolution des pourparlers lui ont permis de s'imposer dans son propre camp. « Michel Barnier n'est ni l'ami ni l'ennemi des Britanniques, c'est un Européen convaincu qui regrette le Brexit. Il comprend les sujets et leur complexité », dit un haut fonctionnaire européen qui le connaît bien.

Mais au-delà des éloges, l'homme n'a rien du génie de la haute diplomatie tant vanté par les correspondants des journaux des Vingt-Sept à Bruxelles déterminés eux aussi à faire payer son infidélité au Royaume-Uni. Il ne faut pas être un Kissinger de haut vol quand on a toutes les cartes de la négociation entre les mains. En effet, alors que les pays membres étalent en temps normal leurs divisions, la vieille Europe pour une fois a fait bloc comme un seul homme derrière lui sur le dossier du Brexit.

La patrie européenne est en danger ! Les Européens se rangent immédiatement en ordre de bataille. Le Conseil, la Commission et le Parlement européen donnent l'impression de travailler en totale symbiose. La ligne est claire : l'intégrité du marché unique et l'indivisibilité des quatre libertés – libre circulation des personnes, marchandises, capitaux et services – ne sont pas négociables. Ni Europe à la carte ni concurrence déloyale : tels sont les deux mots d'ordre intangibles. Les soutiens traditionnels de Londres au sein de l'UE, à l'instar des pays de l'Est, de la Scandinavie ou des Pays-Bas, se sont alignés sur la position dure franco-allemande. La montée des populistes eurosceptiques a également poussé Bruxelles à la fermeté. Il n'est pas question d'offrir des cadeaux au Royaume-Uni en vue de décourager d'autres aspirants potentiels à la sortie. Un pays en dehors de l'Union européenne ne peut pas disposer d'un statut équivalent, voire meilleur, à celui d'un pays membre.

Résultat, dès le départ, les Britanniques ont été confrontés à un mur. L'Union européenne a également bénéficié de sa maîtrise du temps alors que Theresa May était pressée d'en finir avec le Brexit pour lancer ses ambitieuses réformes de politique intérieure.

Cette unité est d'autant plus ancrée dans les chancelleries des Vingt-Sept qu'au fil des années, les Européens n'ont eu de cesse d'accommoder les innombrables exigences britanniques. Pour ne prendre qu'un exemple, dans le domaine économique, l'idéologie libérale venue d'outre-Manche est devenue la pensée unique alors que les pères fondateurs étaient partisans de l'intervention étatique, du protectionnisme et de la politique industrielle.

Pourtant, l'ambivalence britannique envers l'UE est aisément compréhensible. Londres n'a jamais été à l'aise avec le concept d'union politique poursuivi par Jacques Delors, président de la Commission européenne de 1985 à 1994. L'ex-ministre travailliste, Lord Owen, fondateur du défunt Parti social-démocrate, une formation centriste pro-européenne, explique son soutien au Brexit par hostilité foncière au projet fédéraliste : « Les États-Unis d'Europe, c'est bon pour les petits pays comme ceux du Benelux, pas pour une puissance importante comme le Royaume-Uni. »

L'historien David Martin-Jones, lui aussi favorable au *leave*, estime que si l'UE a été une bonne chose dans l'immédiat après-guerre pour promouvoir des sociétés ouvertes et démocratiques, « elle est devenue trop impériale, trop centralisée au détriment de l'État-nation ». Tout en se déclarant partisan des « États-Unis d'Europe », Brendan Simms, spécialiste de l'histoire européenne à l'université de Cambridge, estime qu'on est loin du compte : « Pour avoir une union politique, il faut une capitale, une armée, une frontière et une dette communes, ce qui n'est pas le cas de l'UE qui dispose seulement de l'euro, ce qui en fait une structure bizarre. »

En fait, le Royaume-Uni a toujours eu le sentiment d'être hors jeu dans cette Europe supranationale, façonnée par l'axe franco-allemand, et dans laquelle la Commission n'en fait qu'à sa tête. L'un des motifs de ce sentiment d'exclusion est que le plus grand empire de tous les temps a été fondé sur l'association des peuples, pas leur assimilation comme ce fut le cas de la colonisation française. Sans parler du fait que les Britanniques se méfient des idées abstraites, à l'instar du fédéralisme européen, leur préférant les réalisations concrètes.

L'acceptation des principes de l'UE s'est toujours nuancée à Londres par l'idée qu'il faut les adapter aux circonstances, que les traités sont évolutifs et non pas intangibles comme le proclame la France cartésienne. Depuis le retour du Royaume-Uni en Europe en 1973, cette incompréhension réciproque a dominé les relations avec ses partenaires.

Les Européens sont restés unis. Le Royaume-Uni a perdu le bras de fer. Mais avec les Britanniques, les apparences sont toujours trompeuses. La défaite diplomatique n'en est jamais vraiment une. Comme au bon vieux temps de la glorieuse époque impériale, un cynisme admirable a permis à Albion de se dégager d'une situation délicate.

La duplicité dont ont toujours fait preuve les officiels britanniques quand il s'agit de faire prévaloir l'intérêt national, ou l'idée que s'en fait l'électeur, reste l'alpha et l'oméga de toute politique étrangère digne de ce nom.

Tout d'abord, pour sortir de l'ornière, Londres a battu le rappel de ses alliés traditionnels au sein de l'UE. L'unité entre les Vingt-Sept a été mise à rude épreuve au fur et à mesure de la discussion qui a porté sur les détails de la relation commerciale future. Les histoires de gros sous ont amené des membres de l'UE à tenir compte de leurs intérêts économiques tout en soutenant l'unité en façade.

Ainsi, le Royaume-Uni, berceau de la démocratie parlementaire et de l'« habeas corpus », a aidé les pays membres du groupe de Visograd – Pologne, Tchéquie, Slovaquie, Hongrie – à desserrer l'étau de la Commission sur les questions du respect des droits de l'homme, de l'indépendance de la justice et de la lutte contre la corruption. Les vrais-faux paradis fiscaux de l'UE (Irlande, Luxembourg, Chypre, Malte, Pays-Bas…) qui vivent en totale symbiose avec la City sont également venus à la rescousse.

En outre, les Pays-Bas et la Belgique ont voulu réduire à tout prix les perturbations au trafic transmanche et en mer du Nord. La prospérité des ports de Rotterdam, d'Anvers et de Zeebrugge est étroitement liée à la libre circulation des ferries, des porte-conteneurs et des marchandises.

Depuis le règne de Guillaume d'Orange qui est monté sur le trône d'Angleterre en 1639, malgré la rivalité maritime, les Pays-Bas sont historiquement très proches des Britanniques.

Par ailleurs, lors des tractations, l'unité tant vantée des Vingt-Sept a été minée par la guerre sourde que se sont livrée les différentes institutions européennes. Le

Conseil européen, censé être le seul pilote à bord, s'est fait rapidement déborder par l'activisme du Parlement européen. Les bisbilles entre les deux organismes sur le projet d'accord proposé par l'Assemblée européenne au Royaume-Uni illustrent cette mésentente.

Au plus grand déplaisir de la Commission, le Parlement européen s'est érigé en contre-pouvoir dans la discussion sur le Brexit. Le représentant du Parlement européen, le Belge Guy Verhofstadt, a joué un rôle clé dans le règlement du sort des ressortissants européens vivant au Royaume-Uni et des Britanniques sur le continent européen au cours de la période de transition. « Le Parlement a immédiatement considéré qu'il fallait respecter le verdict populaire et qu'il ne travaillerait que dans ce cadre-là. Il était hors de question de saboter l'issue de la consultation ou de tabler sur une éventuelle modification de cette décision. Les parlementaires n'ont ainsi jamais lancé d'appel au peuple britannique pour un nouveau référendum », explique Verhofstadt qui s'est montré plus respectueux que le Conseil européen ou la Commission de la *vox populi* exprimée lors du référendum.

En comparaison, en octobre 2017, alors que les négociations avec Londres piétinaient, Michel Barnier a reçu officiellement à Bruxelles un groupe de *remainers* irréductibles[1], partisans de l'organisation d'un deuxième référendum. En discutant sous les feux des médias avec le trio, le négociateur en chef de la Commission européenne s'est ingéré au pire moment dans la politique intérieure du Royaume-Uni.

---

1. L'ex-vice-Premier ministre libéral-démocrate, Nick Clegg, l'ancien ministre tory des Finances, Kenneth Clarke, et le travailliste Lord Adonis.

Imaginons la réaction de Madrid si Juncker avait convié au Berlaymont le leader indépendantiste catalan, Carles Puigdemont, qui vivait à la même époque en exil à Bruxelles ! « *It's not cricket* » (« Ce n'est pas du cricket »), comme le proclame l'expression sportive entrée dans le vocabulaire courant pour dire que cela ne se fait pas.

Bruxellois de naissance, je n'ai jamais été un ennemi des institutions européennes, loin de là. J'ai toujours refusé l'ignominieux discours xénophobe et les appétits nationalistes des europhobes extrêmes britanniques et leur haine d'une Commission supranationale échappant à tout contrôle politique. C'est notamment, mais pas seulement, pour cette raison que j'étais favorable au maintien du Royaume-Uni dans l'Union européenne lors du référendum.

Mais si la Commission n'est pas porteuse de tous les péchés de l'Europe, ses dysfonctionnements – népotisme, manque de transparence, impunité – doivent être montrés du doigt.

Aujourd'hui, je partage le sentiment d'une majorité de Britanniques que l'Europe à vingt-huit n'était pas viable à long terme. La règle de l'unanimité au sein du Conseil des ministres ralentit la prise de décisions qui se révèlent souvent insuffisantes pour faire face aux situations de crise. Or l'introduction du vote à la majorité qualifiée en matière fiscale, budgétaire ou en politique étrangère se heurte à la protection de la souveraineté nationale. Il y a du pain sur la planche, comme l'atteste le chemin de croix des propositions ambitieuses du président Macron sur une « Europe aux cercles différenciés ».

Autre dysfonctionnement, le marché unique défendu sans lâcher-prise par les Vingt-Sept dans leur foire d'empoigne avec Londres. C'est un leurre. Il ne s'agit pas d'un marché de 500 millions de consommateurs mais d'une juxtaposition de marchés de 50 à 60 millions de consommateurs. Par exemple, une PME italienne qui veut monter une filiale en Allemagne doit se réinventer complètement en raison de la différence d'environnement social, fiscal, culturel et réglementaire entre les deux pays. Tel n'est pas le cas d'une société de Pennsylvanie qui installe une filiale en Louisiane.

La refonte des relations commerciales entre le Royaume-Uni et l'UE est du même ordre.

Sur le papier, le Royaume-Uni souffre de deux handicaps substantiels. Tout d'abord, le marché britannique représente 10 % des exportations des Vingt-Sept alors que ces derniers pèsent 45 % des ventes d'Albion à l'étranger. En outre, Londres est pénalisé par le manque d'experts dans un domaine qui dépendait de l'Union européenne depuis 1973.

Ancien directeur général de l'Organisation mondiale du commerce (2005-2013), Pascal Lamy souligne la difficulté de négocier de nouveaux accords commerciaux séparés. « En apparence, la tâche est plus facile quand on est seul qu'à vingt-huit. En réalité, aucun pays ne va donner au Royaume-Uni, qui dispose d'un marché de quelque 60 millions de consommateurs, les mêmes avantages qu'à l'UE qui en a presque dix fois plus. En matière d'échanges, ce qui compte, c'est la taille », affirme celui qui préside aujourd'hui la Fondation Jacques-Delors.

À court terme, Pascal Lamy a raison. Mais à long terme, il a tort.

En effet, l'accord de transition permet à Londres d'entamer la négociation d'accords commerciaux bilatéraux avec des pays tiers sans attendre la fin 2020.

Ensuite, le Royaume-Uni va pouvoir montrer l'exemple en aidant les pays les plus démunis, comme l'explique Emily Jones, experte du commerce international à la Blavatnik School of Government à Oxford : « Au sein de l'Union européenne, Londres a toujours œuvré en faveur de l'ouverture des marchés européens aux pays en voie de développement. Il est vrai qu'à l'inverse des pays méditerranéens membres, de telles importations ne concurrencent pas directement la production britannique de produits agricoles ou de textiles. »

À toute chose, malheur est bon. Le Royaume-Uni sera à même de proposer à la cinquantaine de pays les moins nantis de meilleures conditions d'accès à son marché que celles offertes aujourd'hui par l'Union européenne qui doit tenir compte des velléités protectionnistes parmi ses membres, à l'exemple des fruits tropicaux ou du textile.

Enfin, la mise en musique de l'accord de libre échange devrait favoriser l'Angleterre.

Les normes de certification seront vérifiées dans les États où entreront les marchandises. Or les ports et aéroports des Vingt-Sept vont se battre pour accueillir les exportations et importations britanniques en faisant des conditions avantageuses au Royaume-Uni à l'abri des regards. Mauvais gendarme, la Commission européenne éprouvera bien des difficultés à sanctionner les arrangements discrets passés par les pays voisins. Ces contournements seront facilités par les investisseurs étrangers qui en majorité sont restés au Royaume-Uni.

À court terme, le Royaume-Uni souffrira. Mais dans l'avenir, il sera libre de se forger un nouveau destin, à la fois plus britannique et plus planétaire.

4.

Soft power

Windsor et Versailles !

Ce sont les symboles de l'histoire de deux vieux pays européens, érigés en États depuis plus de dix siècles, qui ont été à la fois et longtemps riches, puissants, maîtres, souvent l'un contre l'autre, d'un empire colonial et qui continuent d'exercer une influence diplomatique, économique et culturelle bien au-delà de leur taille.

Windsor fut construit en 1080 par Guillaume le Conquérant sur la seule colline surplombant la vallée de la Tamise. La forteresse royale a donné son nom en 1917 à l'actuelle lignée pour faire oublier ses origines allemandes.

Versailles, c'est Louis XIV, le « Roi-Soleil », la Révolution française, la Commune, le fameux traité de 1919 et, plus récemment, le congrès du Parlement.

Le patrimoine des deux châteaux est à la fois national et universel. Les salons d'apparat et de réception sont grandioses. Les œuvres d'art d'une richesse inestimable écrasent de leur masse les visiteurs qui se promènent le nez en l'air en contemplant les tableaux de maître accrochés aux cimaises. Le mobilier, la collection de porcelaines et les livres anciens donnent le vertige.

Saint George's Hall et la galerie des Glaces exaltent l'atmosphère régalienne des lieux.

Autre point commun, les deux domaines ont été édifiés à dessein en dehors de la capitale, à l'écart du bruit et de l'agitation, mais en même temps pas trop loin pour être avertis du mécontentement populaire ou des complots ourdis contre la royauté avant qu'il ne soit trop tard. Le château de Windsor est niché à 35 kilomètres de Londres, celui de Versailles est situé à 17 kilomètres de Paris.

Chaque année, Windsor et Versailles attirent des millions de visiteurs. Le saint graal nommé tourisme est un facteur clé d'attractivité des deux nations dont tirent profit les hôtels, restaurants et la grande distribution et, par ricochet, le produit intérieur brut.

La seule différence entre les deux monuments, et elle est d'importance, est que le château de Windsor est la résidence de week-end du souverain, un *home sweet home* qui lui permet de réaliser le rêve bourgeois de vivre à la campagne et de travailler à la ville. Au contraire, Versailles est le mausolée d'une défunte monarchie, à l'image de Schönbrunn à Vienne, du palais Catherine à Saint-Pétersbourg ou du Palais national de Sintra. Plus populaire que jamais, la dynastie britannique se porte à merveille, merci.

Les décors somptueux des deux châteaux cachent l'un des piliers du nouveau paradigme dans lequel le Royaume-Uni excelle : le « *soft power* ».

Selon l'inventeur du concept, Robert Nye, professeur à Harvard, il s'agit de la capacité d'un État d'arriver à ses fins en recourant à d'autres moyens que la force militaire, économique ou diplomatique. C'est la puissance de la culture et des industries de la création, de l'art de vivre, des universités, des médias ou du sport qui font du détenteur du *soft power* une puissance intelligente.

Emmanuel Macron a bien compris l'enjeu du *soft power*. Le président français utilise fréquemment Versailles, ses ors et sa pompe, pour recevoir les dignitaires étrangers ou les patrons de multinationales.

À Windsor également, la royauté se donne en représentation au service de l'Angleterre. Le mariage du prince Harry et de Meghan Markle en est le meilleur exemple. Que les roturières épousent des princes, ou inversement, c'est assez dans l'ordre des choses par les temps méritocratiques qui courent. Mais que les noces entre le sixième dans l'ordre de succession au trône et une Américaine divorcée et métisse provoquent autant de bruit, mobilisent autant de temps d'antenne et de photographes, fassent couler autant d'encre et finalement poussent la vente d'autant de journaux, de souvenirs et d'autres produits *made in England* est la meilleure illustration du *soft power* de la cour d'Angleterre.

Deux milliards de téléspectateurs de par le monde, dont 29 millions d'Américains, 17 millions de Britanniques, 8 millions de Français et un million de Belges, il y a de quoi rêver.

La marque Windsor est une donnée incontournable de la politique étrangère du Royaume-Uni. Le rayonnement des cérémonies royales relève de l'économie de l'immatériel[1], sans fondement physique mais créatrice de valeur, liée à l'imagination et à l'inspiration. C'est

---

1. « L'économie de l'immatériel – la croissance de demain », rapport de Maurice Lévy et Jean-Pierre Jouyet (ministère de l'Économie, des Finances et de l'Industrie, 2006).

la conséquence de la place croissante de l'innovation, du développement extraordinaire des technologies de l'information et de la communication, ainsi que de l'expansion de l'économie des services.

Le départ du Royaume-Uni de l'UE aura de profondes conséquences sur sa place dans le monde. Dans ce contexte, le *soft power* est vital pour accroître l'influence britannique après la rupture des amarres.

La reine Victoria, qui a régné entre 1837 et 1901, en avait été le précurseur. Celle qui devait être surnommée, bien plus tard, la grand-mère de l'Europe, avait inventé le concept même du *soft power* pour étendre l'emprise de la Couronne sur le continent en multipliant les mariages entre ses enfants et les rejetons des autres dynasties européennes. Les liens familiaux tissés au cours d'un règne exceptionnellement long lui avaient permis de transformer l'Europe en son fief personnel.

Ses Premiers ministres et ses ministres des Affaires étrangères étaient tenus dans la totale ignorance de cet État dans l'État patiemment bâti par le souverain pour asseoir son propre pouvoir. L'objectif de cette entreprise parallèle était des plus légitimes : éviter les guerres, surtout entre le Royaume-Uni et l'Allemagne. C'était une fédéraliste à la Juncker avant la lettre.

La plus européenne des monarques britanniques avait épousé le prince Albert de Saxe-Cobourg-Gotha dont elle eut neuf enfants. Sa fille aînée, elle aussi appelée Victoria, avait pris comme mari le prince Frederick de Prusse. Le prince héritier, futur Edward VII, s'était uni avec Alexandra du Danemark. Il en fut de même d'Alice (Louis de Hesse), d'Helena (Christian de Schleswig-Holstein), de Leopold (Helena de Waldeck-Pyrmont), d'Arthur (Margaret de Prusse) et de Béatrice (Henri de Battenberg). Au total, de ces mariages arrangés sont nés trente-quatre petits-enfants liés de près au trône anglais.

« Chaque mariage était un exercice de *soft power* au nom d'une vision très idéaliste de paix et de stabilité en Europe », souligne l'historienne Deborah Cadbury[1]. Européenne convaincue, la reine Victoria n'aurait pas du tout aimé le Brexit. Elle aurait eu recours à sa propre boutade sur les petits désagréments de l'existence : « *We are not amused* » (« Ceci n'a rien d'amusant »).

À première vue, le Brexit est une mauvaise chose pour le *soft power* britannique.

La culture se joue des frontières. La libre circulation des artistes venus notamment de l'UE et la diversité sont les moteurs d'un secteur économique en pleine expansion qui s'exporte aux quatre coins du monde. Les professionnels européens se sentiront-ils bienvenus à l'avenir dans cette nation au système migratoire désormais restrictif ?

Par ailleurs, les PME du secteur créatif redoutent la fin des aides européennes vitales pour boucler leurs budgets. L'exemple de la décision de la Commission européenne d'exclure les villes du Royaume-Uni de la course au titre de « capitale européenne de la culture » n'augure rien de bon dans ce domaine.

Ces incertitudes sont, à première vue, d'autant plus dommageables qu'à l'inverse du reste de l'Europe, il n'y a pas de vrai soutien public à la culture, à l'exception des maigres subventions de l'Arts Council. Les

---

1. *Queen Victoria Matchmaking : Royal Marriages that Shaped Europe*, Bloomsbury, 2017.

arts peuvent bénéficier du financement de la loterie nationale (privée), dont les aides privilégient les sports et les bonnes œuvres, et des mécènes qui s'intéressent en priorité aux musées.

L'absence d'un tissu d'institutions publiques est sans doute liée au manque de considération du monde politique pour la culture. Il n'y a jamais eu d'équivalent britannique aux grands ministres de la Culture que furent André Malraux ou Jack Lang. Le seul ministre de Sa Majesté qui ait laissé un souvenir est Lord Gowrie, patron de la maison de vente aux enchères Sotheby's. On s'en souvient non pas pour ses décisions, mais pour la justification de sa démission, en 1985, au gouvernement Thatcher : « On ne peut pas vivre décemment dans le centre de Londres avec le maigre salaire de ministre. »

Le monde de la culture ne peut compter sur aucun appui de la part des pouvoirs publics. Au Royaume-Uni, le système des intermittents du spectacle n'existe pas. Les artistes n'ont droit à aucun traitement spécial, que ce soit en matière de fiscalité ou de prestations sociales.

« Et tant mieux ! » explique une comédienne française installée à Londres depuis une dizaine d'années : « Ici, je fais partie des professions libérales. Je suis mon propre patron *free lance*. En tant que travailleuse indépendante, je paie des impôts sur l'entièreté de mes revenus. » La flexibilité du marché du travail permet à l'artiste d'être présente sur toute la gamme d'activités et de supports. Elle est non seulement comédienne, mais aussi traductrice, programmatrice de festival, tutrice et copropriétaire d'une compagnie de théâtre. Elle joue au théâtre, à la télévision et au cinéma tout en faisant des voix off. La porosité entre les différentes disciplines est plus grande qu'en France. La gamme des contrats est très large. Pour appuyer ses revendications, notre créatrice peut compter sur le syndicat d'acteurs et de techniciens Equity, qui protège les barèmes de salaires et propose une représentation légale face aux employeurs. Si le système permet aux professionnels confirmés de bien gagner leur vie, les débutants sont souvent contraints de trouver un travail alimentaire, dans le commerce de détail, la restauration ou la mode.

Dans les faits, l'ascendant du Royaume-Uni sur la scène internationale ne peut que profiter de sa sortie prochaine de l'UE. Le patrimoine artistique et culturel va aider le pays à absorber le choc du départ en préservant une influence au-delà de son nouveau rôle géopolitique et de sa réorientation économique.

D'autant que malgré le manque de soutien de l'État, en dépit de la dureté des temps, l'industrie de la création est très prospère. Le poids économique de ce secteur est énorme[1]. Son chiffre d'affaires dépasse celui combiné de l'aéronautique, de l'énergie et des sciences de la vie ; son taux de croissance est supérieur à celui des services financiers. Le royaume a toujours été un lieu privilégié d'expérimentation des passions, des désirs, des rêves les plus fous qui, commercialisés, se vendent ensuite aux quatre coins de la terre.

---

1. En 2016, le classement en termes de valeur ajoutée brute des neuf principaux secteurs était le suivant : informatique, cinéma-TV, publicité, édition, musique, architecture, design et mode, musées, artisanat. Total : 163,8 milliards d'euros. Source : Creative Industries Federation.

C'est pourquoi, en dépit du Brexit, dans le dernier classement du *soft power* établi par le Centre de diplomatie de l'université de Californie du Sud et le cabinet de conseil en communication londonien Portland, le royaume figure en première position devant la France, l'Allemagne, les États-Unis et le Japon[1].

Le cinéma est un exemple de cette résistance au Brexit. Actuellement, le seul cinéma véritablement européen est français. Mais la production cinématographique de l'Hexagone n'existerait pas sans les subventions dans le cadre d'une politique volontariste de Paris en vue d'aider la création nationale.

Toutefois, les nombreux studios de tournage britanniques vont travailler bien plus qu'auparavant en tandem avec les grandes machines d'Hollywood, se protégeant ainsi des retombées du Brexit.

La domination britannique du numérique en Europe va faciliter ce succès. À Londres, la célèbre « Tech City », le district des start-up dans l'est de la capitale, est un véritable laboratoire du futur, un lieu privilégié d'expérimentations pour le septième art. Chez les meilleurs éléments, le tropisme anglo-américain l'emportera sur les tentations de délocalisation parisienne ou berlinoise, les deux principales villes concurrentes qui n'arrivent pas à la cheville de la capitale britannique.

Le cinéma et la télévision sont des industries anglo-saxonnes par essence. L'imbattable touche anglaise, secret de l'emprise culturelle britannique à l'international, se vend d'abord dans les pays anglophones. Voyez le succès

---

1. *The Soft Power* – 30 A Global Ranking of Soft Power, 2018. Portland/US Center on Public Diplomacy.

à l'exportation outre-Atlantique des séries télévisées, de *Downtown Abbey* à *The Crown* en passant par *Games of Thrones* et *Sherlock* ! À Hollywood, les productions britanniques n'ont cessé de rafler oscars et Emmy Awards.

Le message de Shakespeare est également plus anglo-saxon qu'européen. Nul plus que le barde de Stratford-sur-Avon ne personnifie le pouvoir d'influence issu de l'attractivité naturelle chère à Robert Nye, l'inventeur du *soft power*.

La primauté de la langue anglaise est le fondement d'un tel prestige. Les spectateurs américains, canadiens ou australiens, mais aussi africains et asiatiques anglophones, sont rétifs au sous-titrage.

La British Broadcasting Corporation doit aussi permettre au Royaume-Uni de continuer à briller à l'étranger à l'issue du Brexit. La « Beeb » est la pierre angulaire de la propagation de la culture britannique à l'international aux côtés du British Council, l'équivalent de l'Alliance française. Ses commandes de programmes font vivre plus de 700 maisons de production indépendantes de télévision et de cinéma.

Les services extérieurs, le BBC World Service, constituent l'une des plus importantes exportations britanniques. Cet agent hors pair dispose d'un prestige dont sont dépourvus CNN International, Deutsche Welle ou France 24. La chaîne publique est un gage d'impartialité et de rigueur journalistique. Son site Internet gratuit fait autorité de par la qualité de l'information.

À l'étranger, la BBC est imbattable, comme l'ont appris à leurs dépens la China Central Television, RT ou Al-Jazira, perçus comme des outils de propagande.

BBC Television en farsi et en arabe compte plus de 40 millions de téléspectateurs par an.

Au nom de l'expansion du *soft power* britannique, le gouvernement a desserré les cordons de la bourse pour financer le développement de la BBC en Russie, en Corée du Nord, en Afrique et au Proche-Orient. La rallonge doit augmenter l'audience totale actuelle de la BBC de 300 millions à plus d'un demi-milliard de personnes d'ici 2022, date de la célébration du centième anniversaire de la vénérable institution.

Les journalistes et les cadres dirigeants de la BBC sont ouverts d'esprit, cosmopolites, éduqués souvent à l'étranger et socialement mobiles. La grande majorité d'entre eux a voté contre le Brexit. Mais financée par la redevance, la BBC est tenue à une obligation de stricte neutralité. Elle sera toujours « la voix » du Royaume-Uni hors de l'Union européenne comme elle avait été jadis celle de l'empire.

Un exemple de l'influence de la BBC est l'émission *Dateline London*, à laquelle je contribue régulièrement. Les échanges entre les quatre journalistes participants, trois étrangers et un Britannique, qui débattent pendant une demi-heure de l'actualité de la semaine écoulée, sont toujours toniques. Son audience dans les pays du Commonwealth est énorme. La preuve, quand je voyage dans le sous-continent indien, au Proche-Orient ou en Océanie, je me fais constamment accoster par des fans de l'émission.

Le Brexit favorise des programmes comme *Dateline* dans la mesure où la BBC doit mettre l'accent désormais sur les pays émergents et diminuer la voilure de ses programmes européens.

En outre, le Brexit ne peut que donner des ailes à une presse écrite britannique dont l'influence peut déjà faire croire que le globe tourne autour du Royaume-Uni comme la Terre autour du Soleil.

Le *Financial Times* est un quotidien riche, doté d'un modèle économique qui fonctionne par le biais notamment de son site Internet et de ses multiples applications. Son entregent aux États-Unis et en Asie compensera largement toute perte d'audience en Europe.

Les chroniqueurs les plus chevronnés du *FT*, auteurs des grands éditoriaux de la pénultième page du premier cahier, sont viscéralement hostiles au départ de l'UE. C'est attendu dans la mesure où le titre aux pages saumon colle systématiquement au point de vue de la City, son pré carré. Conscient d'avoir mené un combat perdu d'avance contre la volonté populaire, le journal des milieux d'affaires va facilement se reconvertir en porte-parole du nouveau destin planétaire du pays post-Brexit.

Le revirement du *FT* sera d'autant plus facile qu'il est foncièrement hostile à l'euro. Je vous renvoie aux manchettes accrocheuses et anxiogènes relevées d'une pincée de sensationnalisme sur la crise de la monnaie unique analysées dans mon livre *Les Banksters*[1].

Il en est de même de l'hebdomadaire libéral *The Economist* dont les États-Unis à eux seuls absorbent plus de la moitié des ventes.

Le grand paradoxe de la fin de l'adhésion à l'UE est que la voix européenne dans le monde du business restera entre les mains du *Financial Times* et de *The Eco-*

---

1. *Les Banksters. Voyage chez mes amis capitalistes*, Albin Michel, 2014.

67

nomist. Les deux titres resteront l'intermédiaire obligé de la communication des institutions européennes. Il n'existe pas d'équivalent sur le Vieux Continent. L'influence d'excellents quotidiens des affaires comme *Les Échos,* le *Frankfurter Allgemeine Zeitung* ou *Il Sole 24 Ore* ne dépasse pas les frontières de leurs pays respectifs – la France, l'Allemagne ou l'Italie.

Les agences d'information économique anglo-saxonnes, à l'instar du canadien Thomson Reuters et de l'américain Bloomberg, se feront également la caisse de résonance de la nouvelle Angleterre issue du Brexit. Londres accueille le QG opérationnel du premier et le siège européen du second.

Spécialisé dans les potins de célébrités des deux côtés de l'Atlantique, le Mail Online est le site Internet dépendant du journal le plus lu dans le monde occidental. Sa maison mère est le quotidien londonien *Daily Mail.* Résolument à droite, d'un euroscepticisme pavlovien, il a joué un rôle décisif dans l'issue du référendum[1] tout comme dans le processus de départ.

Le *Daily Mail* a également été plus agressif sur son site Internet où son tapage hystérique sur des sujets hautement émotionnels comme l'immigration et le patriotisme est mieux passé auprès de l'électorat populaire que l'argument économique rationnel des *remainers.*

Surtout, parallèlement aux *gossips,* le *Mail Online* diffuse les éditoriaux et les articles de l'édition print dans un exercice de propagande imparable. Au demeurant, les quotidiens hostiles à l'Union européenne

---

1. *UK Press Coverage of the EU Referendum,* Reuters Institute for the Study of Journalism, 2016.

constituent les quatre cinquièmes du tirage de la presse anglaise.

Enfin, le *soft power*, c'est aussi le sport, en particulier le football. L'Asie, à commencer par la Chine, porte aux nues les clubs de la « Premier League », l'équivalent anglais de la première division. Manchester United, Manchester City ou Liverpool sont des marques mondiales aux enjeux de marketing et de merchandising gigantesques dans les pays émergents. La popularité globale du foot anglais explique que dix clubs de la Premier League figurent parmi les vingt plus riches en Europe[1].

Avec le Brexit et le balancement du centre de gravité britannique de l'Europe vers l'Asie, le filon du foot anglais sera brillamment exploité à Shanghai, Hong Kong, Singapour ou Sydney.

Dans sa nouvelle existence, le Royaume-Uni pourra également tirer avantage d'un dernier instrument dans lequel il se distingue pour accroître son pouvoir à l'international : l'enseignement supérieur.

Pour pratiquer le *soft power*, un ambassadeur de Sa Majesté n'a que l'embarras du choix : la Royal Shakespeare Company ou David Beckham, John le Carré ou David Hockney. Le plénipotentiaire peut embrigader les patrons du *Financial Times*, de *The Economist* et de la BBC les poches pleines de diphtongues palatisées ou des universitaires qui ne jargonnent pas. Tous pourront expliquer sous les lambris dorés que les Britanniques ne se sentent pas dans la situation d'un peuple fini.

Et, *last but not least*, la famille royale, à laquelle bien peu de portes résistent.

---

1. Deloitte Football Money League 2018.

5.

Un paradis fiscal
aux portes de l'Europe ?

Contrairement à tant de grandes fortunes, Elizabeth II n'a pas de revanche à prendre sur le destin. Elle n'a jamais dû se battre pour accumuler son pécule. Son bas de laine est du vieil argent d'héritière. Elle n'a pas d'entreprise à développer dans l'espoir de créer une dynastie industrielle.

La Reine ignore l'argent et n'a jamais un sou sur elle. La souveraine n'a pas de chéquier, ni de carte de crédit. Sa dame de compagnie s'occupe des rares paiements en liquide que le chef de l'État est amené à faire. Elle paie des impôts sur ses revenus privés. Le souverain considère l'avenir de ses avoirs dans une optique purement patrimoniale, au profit de ses enfants et petits-enfants. La gestion de ses avoirs est du ressort du *Keeper of the Privy Purse*, sorte de super directeur financier de l'entreprise « Windsor Inc[1] ». Le choix des

---

1. Elizabeth II possède en son nom propre des placements financiers en actions et en obligations, les bénéfices du duché de Lancaster, deux châteaux (Balmoral et Sandringham), des appartements à Londres, des œuvres d'art, des meubles d'époque, un parc de voitures anciennes, une collection de bijoux et de timbres

placements est confié à une dizaine de banques et de cabinets d'avocats de la City.

Dans le classement des grandes fortunes britanniques établi par le *Sunday Times*[1], la Reine n'arrive, il est vrai, qu'en 344e position avec des avoirs de 422 millions d'euros. Tout est là en ces deux chiffres. S'il est considéré comme une richesse « moyenne » en Angleterre, le monarque fait vraiment figure de parent pauvre par rapport au sultan de Brunei, au roi Salmane d'Arabie Saoudite, à l'émir du Koweït et même au roi Willem-Alexander des Pays-Bas, principal actionnaire indépendant du groupe pétrolier anglo-néerlandais Shell. Elizabeth II a perdu sa place de numéro un du royaume en 1994 lorsque sa trésorerie personnelle et celle qu'elle possédait au nom de l'État ont été séparées.

À l'instar de celle de ses sujets, la déclaration fiscale de la Reine est confidentielle. Au nom du bon vieux dicton « Pour vivre heureux, vivons cachés », la Cour maintient un secret d'airain autour des avoirs personnels du monarque.

Patatras ! Publiés le 6 novembre 2017, les « Paradise Papers » ont dévoilé qu'une partie de la fortune d'Elizabeth II sommeille dans des paradis fiscaux de la Couronne, aux Caïmans et aux Bermudes, via un écheveau de sociétés-écrans. Les fuites ont mis en exergue la

---

ainsi que des pur-sang. La dotation de l'État est constituée d'une partie des bénéfices du Crown Estate, gérant des énormes avoirs immobiliers de la Couronne d'Angleterre, soit près de 50 millions d'euros en 2017.
1. « Sunday Times Rich List », 13 mai 2018.

place centrale de ces deux archipels dans le recyclage de l'argent trouble.

À lire les documents confidentiels de cabinets juridiques anglo-saxons spécialisés dans les activités offshore révélées au grand jour, une partie des bénéfices du duché de Lancaster ont échappé en toute légalité à l'appétence du fisc. Le *Duchy* a été fondé en 1399 en vue de fournir au souverain un revenu indépendant de celui de l'État. Si les profits de la structure sont exemptés d'impôts, les bénéfices que reçoit la Reine sont taxés. Désireux de réduire le montant de cet impôt, les administrateurs de la cassette royale ont caché ces avoirs dans deux zones offshore sur lesquelles flotte l'Union Jack.

Vous imaginez le choc des révélations ! L'affaire fit un chambard énorme. La nouvelle a fait le tour du monde. Sa Majesté prise la main dans le sac comme tant d'autres exilés fiscaux ? Eh oui, Elizabeth II aussi. Le scandale laisse rêveur et amusé. La Reine a marqué un prodigieux but contre son camp puisque les déclarations de revenus sont émises en son nom par le fisc qui porte la belle appellation de « *Her Majesty's Revenue and Customs* ».

Grâce au Brexit, Elizabeth II pourra dormir dorénavant sur ses deux oreilles, financièrement parlant. Certes, comme on l'a vu dans le scandale des « Paradise Papers », les paradis fiscaux de la Couronne fonctionnent déjà à plein. La Commission européenne ne trouve toujours rien à redire à ces « trous noirs » de la finance. Reste que hors de l'UE, le Royaume-Uni va pouvoir devenir un État-voyou, sans contrainte ni entrave. Il en a déjà quelques ingrédients.

Warning ! D'entrée de jeu, l'ancien *remainer* de
« cœur » devenu *brexiter* de « raison » que je suis colle
sur ce chapitre un avertissement personnel en lettres
noires. Au cours de ma vie professionnelle, je n'ai
cessé de vouer les paradis fiscaux aux gémonies. Mes
articles dans les colonnes du *Monde* tout comme mes
livres ou les deux documentaires financiers dont j'ai
été le coauteur ont dénoncé à tire-larigot ces zones
de non-droit où prospère une véritable industrie du
blanchiment d'argent sale.

Par ailleurs, entre 2015 et 2017, j'ai siégé comme
administrateur indépendant au conseil de Finance
Watch. Basée à Bruxelles, cette petite ONG avait été
fondée en 2011, en pleine crise financière, à l'initiative
d'une poignée d'eurodéputés, pour tenter de contre-
balancer l'entrisme des banquiers au sein de la Commission européenne. J'ai pu prendre l'entière mesure
de l'impuissance de ceux qui veulent mettre la finance
« au service de la société » face au rouleau compresseur
des seigneurs de l'argent.

Brexit ou pas, mon opposition résolue aux circuits
financiers parallèles est restée intacte. Je constate que
dix ans après la crise financière, même s'il y a eu de
réels progrès depuis quelques années, la progression
de la réglementation n'est pas venue à bout du recyclage d'argent sale, de l'évasion fiscale et du manque
de transparence, loin de là. « La créativité des évadés
fiscaux progresse plus vite que n'est élaborée la législation » : comme l'a dénoncé le Parlement européen,
la course au moins-disant fiscal a encore un bel avenir
devant elle.

En effet, à la faveur du départ de l'UE, Londres ne
sera plus soumis à la fâcheuse et pesante réglementa-

tion européenne en matière financière avec son luxe de détails. La City va-t-elle se transformer en une plate-forme offshore ? Beaucoup d'indices le laissent penser.

Qu'importe la perte, provoquée par la sortie du marché unique, du « passeport financier européen » autorisant une institution financière installée dans un pays membre à vendre des produits financiers à travers toute l'UE ! Les combines permettant de court-circuiter l'interdit des Vingt-Sept foisonnent.

La technique du « *back to back trading* », en charabia financier, en est le meilleur exemple. Il s'agit en fait d'une opération courante qui adossera chaque opération dans l'un des pays des Vingt-Sept à une opération en sens inverse enregistrée à Londres. Les risques et les besoins en capitaux restent ainsi centralisés dans la City et le tour est joué. Simple comme bonjour.

De plus, le « bain de sang » que prédisaient quelques esprits chagrins après le référendum du 23 juin 2016 ne s'est pas produit. Les délocalisations attendues d'effectifs bancaires européens de Londres vers Paris, Francfort, Dublin ou Amsterdam n'ont pas eu lieu. La perspective du Brexit n'a pas fait fuir du royaume, avec bagages et bas de laine, les expatriés de la City pour demander asile sous des cieux censés être plus cléments. Paris ou Francfort, les deux cités financières théoriquement en pole position pour exploiter le départ du Royaume-Uni, n'ont pas écorné la suprématie du poumon financier de l'Europe. *Ubi bene, ibi patria.*

L'abandon des restrictions européennes imposées sur les primes des banquiers va attirer dans la capitale bri-tannique les meilleurs éléments issus des pays émergents à Londres. La prise de risques sans laquelle il n'y a pas de profits en sera encouragée. En vue d'accueillir les sièges de multinationales, le Royaume-Uni s'adonnera au dumping fiscal fondé sur la faible taxation des sociétés[1] et des exemptions sur les dividendes. En outre, la City deviendra, sans coup férir, le nouveau sanctuaire mondial de la banque de l'ombre, le *shadow banking*, la sphère impénétrable et mal ou non régulée de la finance mondiale.

Une chose est claire, le largage des amarres permettra à Londres de décupler ses atouts traditionnels que sont l'avantage des fuseaux horaires, la langue anglaise, le droit coutumier ainsi que le savoir-faire en ingénierie financière. « La première place financière européenne est tout bonnement incontournable, explique Miles Celic, directeur général du lobby TheCityUK. Il serait pratiquement impossible de reproduire sur le Vieux Continent la masse critique suffisante en talents et en capitaux concentrée à Londres. » Dès à présent, la nouvelle City issue du Brexit a été affublée du redoutable sobriquet de « Singapour-sur-Tamise ». Singapour est l'une des places financières les plus dynamiques du monde. Réglementation des activités internationales minimale, impôts bas, compétitivité haute, absence d'encadrement ou de transparence : le micro-État est une gigantesque zone fiscale prête à tous les accommodements.

Bien sûr, Bruxelles répète à l'envi qu'après le Brexit, le Royaume-Uni sera contraint de respecter la législation bancaire européenne. L'Union européenne s'est engagée à torpiller toute tentative de créer un paradis

---

1. Avec un taux d'imposition de 17 % d'ici à 2020 qui devrait baisser, le Royaume-Uni entend rattraper l'Irlande, le Luxembourg et Malte – qui se livrent à une compétition fiscale vers le bas pour attirer les sièges de multinationales – et accroître sa compétitivité.

sauvage aux portes de l'Europe. Si la City veut conserver sa position de poumon financier de la zone euro après 2020, elle devra passer sous les fourches caudines des diktats européens. Sinon, ce sera la guerre.

Officiellement, par souci de préserver sa bonne réputation, le royaume s'est engagé à maintenir une régulation financière musclée. Promis, juré, craché, il ne sera pas question de détricoter les acquis communautaires pour attirer le chaland.

D'ailleurs, le monde politique de Westminster, gauche et droite, n'a nulle envie de bâtir une gigantesque zone offshore voisine de l'UE. La victoire du *leave* lors du référendum n'avait-elle pas été, entre autres, provoquée par l'hostilité de l'électorat envers les banquiers tenus pour responsables de la crise financière de 2008, de la récession et de la politique d'austérité draconienne qui s'ensuivirent ? Loin de vouloir une baisse de l'impôt, le public réclame davantage de distribution.

Londres a donné une autre garantie significative à Bruxelles, la poursuite de son activisme au sein de l'Organisation de coopération et de développement économiques (OCDE), de la Banque des règlements internationaux et du G20 dans la lutte contre l'érosion de la base d'imposition et les transferts de bénéfices. Depuis la crise des *subprimes,* les normes financières sont aussi décidées dans des forums internationaux – dont la Grande-Bretagne continuera à faire partie – et pas seulement par l'UE.

Nous voici rassurés ?

En fait, ces promesses sont largement fictives. L'Angleterre tient comme d'habitude un double langage, selon les circonstances.

77

D'un côté, Londres a donné l'impression de balayer devant sa porte en obligeant par exemple les paradis fiscaux extraterritoriaux de la Couronne à plus de transparence. Mais plus que jamais, les chemins de l'optimisation fiscale *made in Britain* passent par l'entremise du tissu tentaculaire de centres offshore. Ces lieux extraterritoriaux ramassent à la pelle les capitaux provenant des quatre coins du globe pour les faire fructifier dans les salles de marché de la City. Au moyen de ces rabatteurs de fonds, l'argent propre mêlé à l'argent sale va et vient pour être finalement blanchi en toute impunité.

Pourquoi les GAFAM (acronyme désignant Google, Apple, Facebook, Amazon et Microsoft) ont-ils embrassé le Brexit ? Après le référendum, les géants de l'économie dématérialisée ont annoncé de gros investissements au Royaume-Uni alors que les industriels étrangers de l'automobile ou de l'aéronautique ont été plus circonspects en raison des incertitudes économiques liées au départ.

Il ne fait pas de doute que l'optimisme des grands de l'Internet quant à l'avenir du royaume tient aux opportunités nouvelles. Par l'intermédiaire d'une stratégie fiscale agressive, les GAFAM, qui réalisent des bénéfices considérables, courent après l'optimisation de l'impôt. Ainsi, en Europe, Apple est immatriculé à Jersey, Facebook aux îles Caïmans, Uber aux Pays-Bas, Amazon en Irlande.

Des avocats britanniques futés ont découvert ces îles des Mille et Une Nuits appartenant à la Couronne. Bénéficiant de l'éloignement géographique et de la bénédiction de la mère patrie, ces aventuriers ont utilisé, en toute impunité, des dirigeants locaux sans scrupules.

Ultra-libéraux, ils ont souvent rédigé eux-mêmes la loi de finances. Un secret bancaire d'airain a été concocté en vue de « sanctuariser » les avoirs des multinationales comme ceux des clients richissimes pour les mettre hors de portée du fisc. Les espaces extraterritoriaux aident la très prospère industrie juridique, comptable et de conseil britannique à faire reculer les limites entre ce qui est légal et ce qui ne l'est pas.

Les anciens et présents confettis de l'empire sur lequel le soleil ne se couchait jamais constituent déjà le plus imposant paradis fiscal au monde. Un tiers des territoires offshore dans le monde sont britanniques. Un tiers des actifs financiers mondiaux sont logés dans un ou plusieurs des quatorze territoires d'outre-mer et trois dépendances de la Couronne.

Il convient d'ajouter à la nébuleuse des anciennes colonies et dominions, à l'image de l'île Maurice, des Émirats arabes unis ou de l'Australie. Cette dernière contrôle à son tour les coffres-forts de la région Pacifique poreux à l'argent sale comme Nauru, Vanuatu et Samoa, tandis que la Nouvelle-Zélande exerce sa tutelle sur les lessiveuses que sont les îlots paradisiaques de Niue ou des îles Cook.

Sous l'enseigne « UK Inc. », chacun garde sa spécificité et sa compétence. Jersey, Guernesey et Man par exemple sont ainsi spécialisés dans le montage de trusts, des structures de préservation de patrimoine, dont le nom du vrai bénéficiaire est secret sous prétexte de préservation de la vie privée. Ces refuges sont la pierre angulaire de la corruption institutionnelle en l'absence de réel cadastre financier. Derniers vestiges du duché médiéval de Normandie divisé en 1204 entre l'Angleterre et la France, les îles Anglo-Normandes n'ont pas d'impôt sur la fortune, ni sur les successions ni sur les sociétés !

Les chemins de l'offshore débridé passent tout naturellement par Londres qui se tapit au centre d'une toile d'araignée d'où rayonnent toutes les institutions dont le nom est synonyme de quête d'une fiscalité réduite ou nulle. Dans cette large enclave qui comprend à la fois la City, Canary Wharf et Mayfair, se pressent les banques, les bureaux d'avocats, les cabinets comptables ou les consultants qui font tourner la machine financière extraterritoriale. Dans cette caisse noire bienveillante se bâtissent les échafaudages impénétrables, les boîtes aux lettres prête-noms ou les intermédiaires de paille. Les lendemains sont prometteurs pour un secteur hermétique qui tourne aujourd'hui à plein régime.

Demain, les investissements des riches Proche-Orientaux, Russes ou Chinois dans l'immobilier londonien auront encore moins de comptes à rendre sur la provenance des fonds que ce n'est le cas aujourd'hui. Quelque 40 000 propriétés nichées dans les quartiers les plus chics de la capitale, là où le mètre carré vaut de l'or, appartiennent déjà à des sociétés-écrans étrangères immatriculées dans un paradis fiscal britannique. Post-Brexit, ce sera la ruée.

Les fortunes discrètes et internationales ont jeté leur dévolu en toute tranquillité sur les cases les plus chères du Monopoly londonien, Mayfair, Belgravia, Knightsbridge ou Chelsea, peuplés le jour, désertés en soirée mais dotés d'une touche aristocratique anglaise inestimable. Les dix plus gros propriétaires de tours dans la City et à Canary Wharf sont originaires du Qatar, de Chine, du Brésil et d'Afrique du Sud.

Au moment où les oligarques de l'Est ont acheté des clubs de foot de la Premier League, personne ne leur a demandé la provenance de l'argent. Les banques britanniques[1] ont pu recycler en toute impunité des montants astronomiques d'argent criminel russe via des intermédiaires véreux lettons et moldaves. Parmi les établissements fautifs figure la banque britannique la plus select, Coutts, fondée il y a trois siècles, qui compte parmi ses clients, honni soit qui mal y pense... la reine d'Angleterre.

L'obtention d'un « passeport doré » permettant la résidence ou la nationalité par l'investissement deviendra encore plus facile. Outre-Manche, seuls les revenus des riches étrangers rapatriés au Royaume-Uni et non l'ensemble de leur patrimoine sont taxés. Gageons qu'en dehors de l'UE, le fisc britannique saura traiter ses hôtes fortunés et leur cagnotte avec encore plus de respect. D'autant que les grandes fortunes venues de partout font vivre tout un écosystème. Non seulement une tribu de banquiers, avocats et conseillers, qui perçoivent des commissions élevées, tirent avantage de cette manne, mais également toute une collectivité : l'immobilier, les écoles privées, le gardiennage, la conciergerie ou les produits de luxe.

Preuve de l'importance stratégique des paradis fiscaux dans le succès post-Brexit de la City, les deux camps ont recours aux circuits les plus sinueux.

Les nombreux sponsors du Brexit ont fait fortune en exploitant les zones extraterritoriales britanniques. Basé dans le sanctuaire de Belize, ex-colonie de la Cou-

---

1. *The Guardian*, 21 mars 2017.

ronne et paradis fiscal sulfureux d'Amérique centrale, le financier Lord Ashcroft a soutenu généreusement le camp du *leave*. L'entrepreneur Arron Banks, qui avait été le principal pourvoyeur de fonds du parti europhobe UKIP lors de la consultation, a immatriculé toutes ses sociétés dans l'île de Man, aux îles Vierges et à Gibraltar. À partir de 2021, ces derniers pourront n'en faire qu'à leur tête en toute quiétude.

Il en est de même des partisans du *remain*. L'ancien Premier ministre, David Cameron, pilote un mystérieux fonds d'investissement spécialisé dans les infrastructures liées au projet chinois des « nouvelles routes de la soie ». Son ex-ministre des Finances, George Osborne, est administrateur du groupe américain Blackrock, le plus puissant gestionnaire d'actifs du monde qui a placé une partie de ses avoirs dans neuf paradis fiscaux différents, à en croire les « Paradise Papers ». Les intéressés, qui ont combattu le Brexit, sauront eux aussi tirer les marrons du feu du nouveau contexte.

Il n'est pas étonnant dans ces conditions que le Royaume-Uni n'ait jamais vraiment cherché à mettre au pas ses zones extraterritoriales alors qu'il en avait théoriquement les moyens. Ainsi, Londres assure la défense et les affaires étrangères des îles Anglo-Normandes comme des îles lointaines dont l'autonomie est limitée aux affaires locales. Le gouverneur au chapeau à plumes dépêché par le Foreign Office a tout pouvoir pour ramener ses ouailles dans le droit chemin. Il préfère pourtant terminer sa carrière en se la coulant douce à l'abri des palmiers qui se balancent toujours mollement dans le cadre idyllique d'eaux calmes couleur turquoise. Et pour cause, dès qu'il lève le petit doigt, il se fait traiter de « néocolonialiste ». Pourtant, tout le monde sait que les îles en question sont un point de passage des capitaux expédiés vers la City.

Disons-le sans prendre de gants, après le Brexit, tous les coups seront permis bien au-delà du Far West actuel, tandis que le shérif regardera ailleurs ! La sortie de l'UE va ouvrir largement de nouveaux horizons d'enrichissement à un secteur financier qui joue un rôle clé dans une économie britannique constituée à 80 % de services. La contribution de la City à la croissance nationale, qui compte 350 000 emplois directs et un million d'emplois indirects, en sera accrue.

Londres n'a pas grand-chose à craindre. Après la rupture du cordon ombilical, les paradis fiscaux de l'UE continueront à se montrer solidaires de la City. Le Royaume-Uni, la Belgique, Chypre, la Hongrie, l'Irlande, le Luxembourg, Malte et les Pays-Bas pratiquent une concurrence fiscale agressive. Plus que jamais, face aux assauts de leurs détracteurs, ils se tiendront par la barbichette en vue de préserver leur juteux système. La Grèce sauvegarde les intérêts de Chypre. L'Italie dispose de Malte et de Monaco. L'Irlande, les Pays-Bas et la Belgique n'ont eu cesse de protéger leur pré carré contre toute tentative d'ingérence. Pour sa part, le président de la Commission européenne, l'ancien Premier ministre luxembourgeois, Jean-Claude Juncker, a toujours défendu l'industrie financière grand-ducale dont la City est l'un des grands débouchés.

Pour démonstration, pas une seule entité européenne ne figure dans la liste officielle des paradis fiscaux stipulée par l'UE qui ne comprend que des acteurs mineurs de l'offshore[1]. De qui se moque le commissaire européen aux Affaires économiques et monétaires, l'ex-ministre français des Finances, Pierre Moscovici, lorsqu'il déclare : « Il n'y a pas de paradis fiscal à l'intérieur de l'Union européenne... » ?

Pour l'Union européenne, l'offshore britannique va constituer un formidable challenge.

---

1. 5 décembre 2017. Les Samoa, les Samoa américaines, l'île de Guam, Bahrein, Grenade, la Corée du Sud, Macao, les îles Marshall, la Mongolie, la Namibie, les Palaos, Sainte-Lucie, Trinité-et-Tobago, la Tunisie, les Émirats arabes unis, le Panama et la Barbade.

6.

Jupiter,
le beurre et l'argent du beurre

En raison de son grand âge, l'agenda de la Reine a été considérablement allégé. D'autres *Royals* remplacent dorénavant la souveraine aux cérémonies les plus éprouvantes, à l'instar de la remise de décorations, des voyages à l'étranger ou des parades militaires.

Parmi les manifestations royales auxquelles le monarque ne peut plus prendre part, il en est une qui lui manque beaucoup : le passage en revue, à la fin décembre, de la promotion des élèves officiers de l'école royale militaire de Sandhurst, le Saint-Cyr anglais. Elizabeth II adore le défilé des futurs cadres de l'armée de terre, sanglés dans leur bel uniforme bleu foncé, au rythme des tambours. La parade est réglée au millimètre et organisée selon le modèle napoléonien, en carré.

Queen and country ! («La Reine et le pays !») : la «*Sovereign parade*» exprime le lien sacré entre le souverain et l'armée. Les Premiers ministres passent mais la Reine demeure chef des armées. C'est une fonction purement honorifique. Le dernier roi à mener personnellement les troupes au feu fut George II lors de la guerre de succession d'Autriche au XVIIIe siècle. En pratique, outre sa valeur symbolique, le rôle du chef de l'État se limite au parrainage des régiments dont il est colonel en chef à titre honorifique.

L'attachement de la royauté aux forces armées est légendaire. Tout Windsor digne de ce nom se doit d'avoir servi sous les drapeaux. Époux d'Elizabeth II, le prince Philip a combattu dans la marine lors de la Seconde Guerre mondiale. Le prince Charles a été officier de la Royal Navy, tout comme son frère Andrew qui a participé au conflit des Malouines, en 1982. William et Harry ont été moulés à Sandhurst avant d'être versés dans la cavalerie royale, dans le régiment des « Blues and Royals ». Le prince Harry s'est battu en Afghanistan à deux reprises. Il en est de même de la Reine qui, à la fin 1944, à 19 ans, avait rejoint l'armée de réserve comme conductrice de camion. Son enfance avait été rythmée par les visites aux troupes, aux côtés de ses parents.

L'armée est l'un des piliers du pouvoir royal. À ce titre, Elizabeth II n'a pas hésité à interroger la nouvelle Première ministre, Theresa May, lors de leur première audience à la fin juillet 2016, sur l'effet du Brexit sur la protection du royaume. La Reine a été rassurée. En matière militaire, la sortie de l'Union européenne n'aura aucun effet tangible, au contraire.

Comme l'indique François Heisbourg, président de l'International Institute for Strategic Studies (IISS), « La défense et la sécurité ne sont pas au même niveau de complexité que le commerce international. Dans l'intérêt commun, il vaut mieux maintenir le statu quo ».

Avec le Brexit, le Royaume-Uni devrait surtout tirer profit de sa liberté retrouvée pour s'imposer comme la dernière vraie puissance européenne en matière de défense et de sécurité. La nouvelle Angleterre sera plus atlantiste et, en même temps, plus proche de la France. Le 18 janvier 2018, l'académie militaire de Sandhurst a accueilli le 35ᵉ sommet franco-britannique, le premier conclave bilatéral au plus haut niveau depuis le référendum.

Sandhurst rappelle pour toujours le souvenir des combats livrés pour la même cause. Et pas seulement en 1914-1918 et en 1939-1945. La statue de Louis-Napoléon Bonaparte, ou Napoléon IV, fils unique de Napoléon III et d'Eugénie, a été élevée en l'honneur de la fraternité des armes. Sorti officier artilleur de Sandhurst, le prétendant au trône impérial de France fut tué le 1ᵉʳ juin 1879 sous uniforme anglais par des Zoulous lors d'une expédition en Afrique australe. Le piédestal de la statue est d'ailleurs flanqué d'ailes et orné d'un « N ».

À cette occasion, le président Emmanuel Macron et la Première ministre britannique, Theresa May, ont signé un traité sur l'immigration, sur la frontière transmanche et sur la relance de la coopération militaire et de sécurité. Ce conclave a démontré que l'« Entente cordiale » a bel et bien résisté aux menaces créées par la sortie prochaine du Royaume-Uni de l'Union européenne. Et dans ce contexte, l'arrivée au pouvoir d'Emmanuel Macron est une chance non seulement pour son pays, pour l'Europe, mais aussi pour le Royaume-Uni.

Une chose est claire, après le découplage de l'UE, le Royaume-Uni ne se repliera pas sur lui-même. Il n'est pas question pour Londres de fuir ses responsabilités face aux défis que le monde extérieur pose à la sécurité de l'Europe.

La présence de *tommies* sur le terrain pour combattre Daesh en Irak et en Afghanistan, le déploiement d'un contingent en Estonie en vue de faire face à toute menace venant de Russie et la participation de la Royal Air Force aux côtés de l'US Air Force et de l'armée de l'air française aux frappes contre la Syrie attestent la volonté de développer à tout prix l'influence britannique dans les affaires de défense.

C'est pourquoi, dans son plaidoyer prononcé le 17 février 2018, à Munich, au profit d'un futur accord de coopération sécuritaire avec l'Union européenne après le départ du Royaume-Uni, Theresa May a imploré ses partenaires de « faire ce qui est le plus utile, le plus pragmatique, pour assurer notre sécurité collective ».

L'inquiétude de la Première ministre est compréhensible. Ne siégeant plus au Conseil européen, le Royaume-Uni sera relégué au rang de la Norvège, géopolitiquement insignifiante, qui est dans l'OTAN mais pas dans l'UE. Dans le domaine de la sécurité, le Royaume-Uni risque de perdre l'avantage de la coopération européenne, que ce soit dans la lutte contre le terrorisme, la grande criminalité ou le trafic d'êtres humains. Gageons que post-Brexit, des arrangements informels remplaceront les accords actuels dans le cadre de l'UE.

Premier budget militaire d'Europe, les Britanniques participent aux missions de défense communes européennes. Mais ils n'ont jamais voulu de l'« armée européenne » souhaitée par Bruxelles.

Le refus constant de tout ce qui s'approchait de près ou de loin de l'idée d'une défense commune, perçue comme une chimère, est une constante de la vision stratégique britannique. En tant que membre de l'Union européenne, le Royaume-Uni a toujours refusé toute structure permanente de Bruxelles dans son propre domaine militaire. À l'entendre, ce n'est pas l'Union européenne mais l'OTAN qui a assuré la paix et la sécurité en Europe. Le soutien américain a été essentiel pour empêcher une invasion soviétique lors de la guerre froide.

Déjà, dans son célèbre discours de Zurich en 1946, Winston Churchill avait préconisé la création des États-Unis d'Europe à laquelle Londres apporterait son soutien bienveillant, mais de l'extérieur. Selon sa vision, le Royaume-Uni était à l'intersection de trois cercles – l'Europe, les États-Unis et le Commonwealth –, mais sans appartenir de plain-pied à aucun d'entre eux. Grâce à cette triple adhésion, la nation pouvait conserver son rang de superpuissance malgré le crépuscule impérial. Le refus de se joindre au projet de la Communauté européenne de défense[1] participait de cette philosophie de privilégier en matière militaire l'alliance avec les États-Unis forgée pendant la Seconde Guerre mondiale.

« Chaque fois que nous aurons à choisir entre l'Europe et le grand large, nous choisirons le grand large » : la fameuse déclaration de Churchill à de Gaulle à la veille du débarquement en Normandie, le 6 juin 1944, prend aujourd'hui son incommensurable valeur. Soixante-douze ans plus tard, à l'occasion du référendum, ses compatriotes ont matérialisé l'avertissement du « Vieux Lion ».

---

1. La Communauté européenne de défense (CED) était un projet de création d'une armée européenne, avec des institutions supranationales, placées sous la supervision du commandant en chef de l'OTAN. Mais la CED ne vit jamais le jour en raison du rejet de la ratification par le Parlement français.

Certes, l'UE repose sur une culture de non-recours à la force entre membres dont la réconciliation franco-allemande est le pivot. Reste que sur le théâtre extérieur, cette dernière s'est montrée totalement incohérente. Bruxelles a été ligotée par le fonctionnement pesant des institutions européennes ainsi que par une volonté d'apaisement. Fondée sur le compromis et la concertation, la culture « horizontale » se prête mal aux situations de crise.

De la guerre en Bosnie à l'Ukraine, des sanctions imposées à la Russie à la question des migrants, la politique sécuritaire commune a été trop souvent guidée par un désir d'apaisement à tout prix.

L'ex-ministre des Affaires étrangères, Lord Owen, qui fut coprésident de la conférence internationale sur la Yougoslavie entre 1992 et 1995, ne cache pas son amertume devant l'impuissance de l'UE face à la déflagration des Balkans : « Mettre fin au nettoyage ethnique aurait dû être [son] grand moment. Il n'en a rien été. Seule l'intervention des États-Unis a mis fin aux combats par le truchement des accords de Dayton signés en 1995. Il en a été de même avec l'Ukraine. Demander à l'Europe d'être en charge de notre sécurité revient à confier à un enfant de chœur le poste de videur de boîte de nuit. »

En réalité, c'est l'OTAN qui a toujours été la pierre angulaire de la politique de défense de la Couronne. L'alliance multilatérale le restera malgré le schisme actuel entre les États-Unis et l'Europe. Dans le cadre de l'Alliance atlantique, le Royaume-Uni est le brillant second des États-Unis. La preuve, un représentant britannique est attaché en permanence au Joint Chiefs of Staff, le haut état-major américain. Londres s'est engagée à consacrer 2 % du produit intérieur brut en termes réels à la défense, ce qui en fait le meilleur élève de la classe européenne. En comparaison, le géant économique allemand est un nain militaire. La Bundeswehr est inapte à combattre à la suite du sous-investissement chronique. La limitation de la hausse du budget de la défense et le contrôle des exportations d'armes obèrent l'action extérieure de Berlin. La faiblesse actuelle de la chancelière Angela Merkel et les tiraillements au sein de la grande coalition qu'elle dirige n'ont pas arrangé les choses.

Au nom de la neutralité, six pays adhérents à l'UE – l'Irlande, l'Autriche, la Finlande, Chypre, Malte et la Suède – ne font pas partie de l'Alliance atlantique. La contribution des autres membres de l'OTAN au budget de l'organisation est dérisoire. À l'exception de la Grèce, de l'Estonie et de la Pologne, qui sont confrontées à des menaces spécifiques, le Royaume-Uni peut se targuer de consacrer la plus importante part de son produit intérieur aux dépenses militaires.

Si la France est en queue du peloton de tête, Emmanuel Macron s'est engagé à porter les dépenses de défense de la France à 2 % du PIB à l'horizon 2025.

Dans le cadre unique de l'OTAN, le Royaume se sent de nouveau dans la position d'un pays extraordinaire porté par un nouveau destin planétaire. C'est pourquoi bon nombre de *brexiters* ont sorti des cartons un vieux concept impérial, l'« Anglosphère ». L'idée consiste à créer une sorte de confédération qui regrouperait le Royaume-Uni, les États-Unis, le Canada, l'Australie et la Nouvelle-Zélande.

L'Anglosphère est fondée sur la communauté de langue et de système juridique, le parlementarisme, la coopération en matière militaire ainsi que l'attachement au capitalisme et au libre échange, sans oublier les liens familiaux. Au XIXe siècle, comme le rappelle Duncan Bell, historien de l'université de Cambridge, « La notion d'anglosphère est la dernière version d'une idée que l'on peut faire remonter au concept de la suprématie de la race blanche qui a guidé l'Empire colonial britannique au XIXe siècle ». Ce n'est plus le cas de nos jours.

Si le Brexit a relancé ce concept, Trump l'a tué ! Fier de ses origines écossaises, grand admirateur de Churchill et supporter de la première heure du Brexit, l'occupant du Bureau ovale apparaissait comme l'homme idoine. Mais le recours au protectionnisme au nom de la doctrine « *America first* » et son refus de condamner le racisme de ses supporters d'extrême droite sont allés à l'encontre du modèle ouvert, libre-échangiste et multiculturel que le Royaume-Uni partage avec ses anciens dominions.

Or, sans les États-Unis, pareil projet ne dispose ni de la population, ni du pouvoir économique, ni de l'armée la plus forte au monde.

Reste qu'il est un domaine où va s'accentuer l'influence militaire britannique post-Brexit, c'est en matière de collaboration dans le domaine du renseignement. Les services secrets de Sa Majesté[1] font partie de la bourse

---

1. Les renseignements intérieur (MI5) et extérieur (MI6) sont cités en exemple en raison de leur recrutement diversifié au-delà de l'armée et de la police et de la coordination de leur action. Alors que le premier est responsable de protéger la nation du terrorisme, des armes de destruction massive et de l'espionnage de puissances étrangères, le second est chargé de collecter les informations concernant les questions de sécurité, de défense et de politique étrangère ou économique. Le troisième pilier est le centre des écoutes du GCHQ.

aux renseignements entre les États-Unis, l'Australie, le Canada et la Nouvelle-Zélande. Surnommé « les Five Eyes », ce cercle d'échange troque les résultats des activités de surveillance et d'interception de ses membres. Le GCHQ (Government Communications Headquarters) en charge des écoutes électroniques est le maillon essentiel de la toile tissée par la National Security Agency américaine dans le monde. Les renseignements les plus sensibles sont automatiquement transmis par Londres à la CIA en vertu d'un accord bilatéral datant de 1947.

Paradoxalement, après le départ, c'est l'Union européenne qui va dépendre plus que jamais des forces armées britanniques, qui sont parmi les meilleures du monde. Et pour cause, depuis 1945, à l'exception de deux années, les troupes ont été constamment mobilisées, à l'étranger comme sur le territoire britannique. Les soldats sont prêts en permanence. Ce sont des super-professionnels. La puissance militaire d'Albion apparaît indestructible.

Je me souviens d'un voyage au sultanat de Brunei organisé par le ministère britannique de la Défense. Des missiles aux chars en passant par les hélicoptères... les forces du petit État sur la côte nord-ouest de l'île de Bornéo sont totalement équipées par l'ex-puissance tutélaire. Sans oublier la présence permanente de Gurkhas, les auxiliaires népalais de l'armée britannique qui constituent la garde prétorienne du chef de l'État, Haji Hassanal Bolkiah. On n'en attend pas moins de la protection de l'enclave-confetti, fleuron de la compagnie anglo-néerlandaise Shell qui dispose du quasi-monopole de l'exploitation pétrolière. Du grand art.

93

Le Royaume-Uni est également incontournable en matière de lutte contre le terrorisme, expérience acquise dans la bataille contre l'Armée républicaine irlandaise tout comme contre les groupes islamistes.

Il n'existe en Europe que la France qui joue dans la même catégorie. Dans un passé lointain où elles étaient plus souvent ennemies qu'alliées, les deux puissances sont liées par une amitié traditionnelle et constante depuis la proclamation de l'Entente cordiale, en 1904. À l'heure du Brexit, ce qui rapproche les deux pays l'emporte sur ce qui les sépare.

L'absence du Royaume-Uni des instances de politique étrangère et de sécurité de l'UE n'aura aucun effet sur l'axe militaire franco-britannique car la diplomatie des deux pays, qui sont membres permanents du Conseil de sécurité, se décide aussi à l'ONU. Paris et Londres disposent d'un veto au même titre que les trois grands, les États-Unis, la Chine et la Russie. Au Palais de Verre, leurs positions sont presque toujours coordonnées en totale indépendance de Bruxelles.

En outre, jadis maîtres d'immenses possessions coloniales, les deux nations ont conservé un réseau diplomatique impressionnant au nom d'une même vocation mondiale. Londres et Paris entretiennent une présence et des liens qui couvrent la quasi-totalité de l'Afrique, une partie du Proche-Orient et de nombreux pays d'Asie.

Plus que tout, l'Angleterre et la France sont les deux seuls pays européens dotés de l'arme nucléaire, clé de la politique de dissuasion de l'OTAN. Au moment du départ du Royaume-Uni, la force de l'Entente cordiale permettra d'aligner les intérêts stratégiques mutuels.

Alors que les États-Unis se retirent de la scène mondiale, la relation franco-britannique est d'autant plus essentielle qu'il n'y a jamais eu de vraie réconciliation anglo-allemande.

A priori, l'Allemagne a bien des atomes crochus avec l'Angleterre. Outre la présente ligne royale d'ascendance germanique, les deux nations ont en commun de privilégier l'OTAN sur la défense européenne et de défendre le libre échange et la mondialisation. Dans la réalité, le couple Londres-Berlin vit dans un perpétuel malentendu. Dans les années 1950, obnubilés par la relation privilégiée avec les États-Unis, Churchill, Eden et Macmillan n'ont jamais cherché à forger avec l'Allemagne fédérale l'équivalent de l'axe franco-allemand. De surcroît, les vieux clichés sur le nazisme ont la vie dure outre-Manche. La presse tabloïd londonienne ne cesse de les utiliser pour alimenter la germanophobie ambiante.

Emmanuel Macron a fait campagne en faveur d'une Europe « plus efficace, plus démocratique, plus politique pour devenir l'instrument de notre puissance et de notre souveraineté ». Le Président fait preuve d'un grand volontarisme sur ce sujet qui lui a valu le prix Charlemagne 2018. Il a répété à l'envi que la seule réponse au défi du Brexit ne peut être qu'européenne. C'est dans ce cadre qu'il a fait ses propositions visionnaires de réforme de l'UE, « cohérentes avec les réformes du gouvernement sur le plan national », comme nous explique l'un de ses conseillers.

Dans le cadre de sa diplomatie proactive, le président français a remis en question la vision de Valéry Giscard d'Estaing, pour qui la France devait se résoudre à devenir une grande puissance moyenne. Non, répond-il, « La France doit devenir une puissance tout court[1] ».

L'hôte de l'Élysée aux convictions européennes assumées est persuadé que l'avenir de l'UE passe par la relance de la relation fondatrice « Françallemagne ». À ce titre, Emmanuel Macron se voit en grand architecte de l'Europe de la défense dans laquelle l'Allemagne est le partenaire « primordial » – le Royaume-Uni, en raison du Brexit, n'étant plus qu'un « partenaire essentiel[2] ».

C'est pourquoi Paris s'oppose durement à la volonté de Londres de faire du « *cherrypicking* » avec l'Union, à savoir choisir ce qui lui plaît en délaissant ses obligations.

Par ailleurs, l'Élysée s'efforce d'isoler l'industrie de défense et spatiale britanniques pour faire gagner des contrats aux firmes françaises concurrentes. Lancée par Paris, la polémique du printemps 2018 sur la participation de Londres au système européen de satellites Galileo, concurrent du GPS américain, démontre cette guerre commerciale larvée.

Toutefois, dans le même temps, la France souhaite développer la relation bilatérale en matière de défense, de sécurité et de politique étrangère avec le Royaume-Uni après la sortie de l'UE. Dans le divorce du Brexit, tout se passe comme si Londres et Paris ambitionnaient, chacun de son côté, d'avoir le beurre et l'argent du beurre.

Il y a donc un monde de méfiance à dissiper et un style à inventer. Tels des jardiniers, les ambassadeurs britannique et français s'évertuent à arracher les mauvaises

---

1. *Le Point*, 30 août 2017.
2. Discours à Toulon, 19 janvier 2018.

herbes sans tenter d'éclaircir les taillis. Ed Llewellyn et Jean-Pierre Jouyet sont des personnalités déterminées, à l'esprit pratique et aux idées claires. Ils suivent de près les péripéties du Brexit et à ce titre entendent tourner cette page le plus vite possible malgré les obstacles.

Directeur de cabinet du Premier ministre David Cameron, Ed Llewellyn avait été l'un des architectes du fatidique référendum. Quant à Jean-Pierre Jouyet, il a été secrétaire général de l'Élysée sous François Hollande. Son patron et ami avait maladroitement décrit les vainqueurs de la consultation comme les « nouveaux ennemis ». Cette remarque affligeante provenait-elle de son amertume d'avoir été le seul président de la Vᵉ République à ne pas avoir été invité en visite d'État par la Reine ?

Il est à parier, en tout cas, qu'au moment de la sortie officielle du Royaume-Uni de l'Union européenne, le 29 mars 2019, l'entregent de ces deux fins diplomates permettra d'organiser au plus vite une visite d'État d'Emmanuel Macron outre-Manche. La Reine s'acquittera de la relance de la relation franco-britannique avec un art consommé.

D'autant que l'hymne patriotique préféré de Sa Majesté est « *I Vow to Thee, My Country* », créé en 1921, qu'elle a choisi pour ses funérailles. La musique provient d'une suite orchestrale signée par le compositeur anglais Gustav Holst. Son titre est à lui seul tout un programme du renforcement de l'Entente cordiale : *Jupiter.*

7.

Vive les inégalités !

La scène s'est déroulée le 19 mai 2018 sur le plateau de France 2. J'avais été convié à commenter en direct le mariage du prince Harry et Meghan Markle en ma qualité d'auteur de la première biographie en français d'Elizabeth II. Lors du service religieux à la chapelle Saint-Georges du château de Windsor, les caméras s'étaient attardées sur le visage impassible du monarque. À mes côtés, Stéphane Bern, chroniqueur attitré des têtes couronnées, avait dodeliné de la tête, fermé un instant les yeux et déclaré comme en sortant d'un songe : « Vous savez, la Reine n'est pas snob. »

L'animateur avait voulu ainsi rendre hommage à l'ouverture d'esprit de Sa Majesté qui avait accueilli avec enthousiasme, à l'écouter, sa nouvelle bru, comédienne hollywoodienne, divorcée, et surtout métisse. C'est bien vu puisque le chef de l'État se place au-dessus de toutes les classes sociales. De plus, le terme « snob » signifie *sine nobilitate*, sans noblesse, ce qui ne peut en aucun cas s'appliquer à la reine d'Angleterre qui ne joue pas à être ce qu'elle n'est pas, ni à cacher son milieu d'origine.

Reste que de par ses origines royales, son entourage aristocratique et son mode de vie campagnard très grand-bourgeois, Elizabeth II incarne par excellence des divisions de classes bien plus fortes en son royaume que sur le Vieux Continent. Le monarque est au cœur d'une spécificité traditionnelle britannique qui va jouer un rôle clé dans l'accouchement de la nouvelle nation post-Brexit.

Les Britanniques ont toujours été darwiniens. Les sujets croient dur comme fer à la loi du plus fort. Ils doivent prendre leur destin en main, à l'inverse de la majorité des Européens du continent qui peuvent au moins compter sur les services publics ou sur leur famille pour s'en sortir. Le Royaume-Uni n'a jamais été comme la France un pays vivant dans le mythe de l'égalité. Au contraire, le pays a toujours privilégié les inégalités, qu'elles soient économiques, sociales ou régionales.

Ma thèse audacieuse va choquer au Royaume-Uni : la réussite du Brexit est intimement liée à cette société très inéquitable, la fameuse « cruauté du social », pour reprendre l'expression utilisée par le Premier ministre Michel Rocard (1988-1991) qui s'en prenait aux délocalisations vers les pays à bas salaires, à l'exemple de l'Angleterre. Tout est fait pour minimiser le bien-être social.

Comme dans le cas de la plate-forme offshore, un avertissement s'impose. L'acceptation par les Britanniques des inégalités m'a toujours profondément choqué. Mais quelle que soit mon hostilité envers cette spécificité britannique, dans l'ère post-Brexit, ce sera... un grand atout.

Je vis dans l'arrondissement de Kensington & Chelsea qui illustre jusqu'à la caricature le creusement du fossé des inégalités. C'est l'endroit à la fois le plus nanti et le plus déshérité du royaume dans lequel riches et pauvres cohabitent sans jamais se voir. J'habite dans le bas de l'arrondissement, dans le quartier de Notting Hill.

Les aristocratiques maisons à façade blanche et les délicieux squares privés ont été immortalisés dans l'idylle cinématographique entre Hugh Grant et Julia Roberts. Le mode de vie de la gentry bobo-caviar s'étale sur des trottoirs d'une propreté aussi étincelante que du papier glacé. Le village peut s'enorgueillir de la plus grande concentration de boutiques de design et de mode les plus originales. Les innombrables traiteurs s'adressent à une clientèle fortunée toute préoccupée de sa santé. Si l'amateur de meubles de style palladien, de bijoux de créateurs ou de posters de collection ne sait pas où donner de la tête, dénicher un quart de lait est parfois problématique.

Les listes d'attente pour les écoles privées de Pembridge Square, les plus selects de la capitale, s'étalent sur plusieurs années. Elles ouvrent les portes des plus grands pensionnats privés réservés aux *happy few* de l'establishment, à l'instar d'Eton, de Harrow ou de Winchester, et ensuite aux meilleures universités.

Malgré l'incertitude créée par le Brexit, les prix des habitations tout comme celui des loyers défient la loi de la gravité. Si la trajectoire haussière s'est tassée après le référendum, l'immobilier reste un bon placement sous les coups conjugués de l'offre limitée et de la demande exponentielle à grand fracas de spéculation immobilière.

Dans mon oasis, on entend parler toutes les langues de la planète. L'îlot au luxe discret est en grande majorité blanc, au même titre que les quartiers adjacents de Knightsbridge, Belgravia ou Mayfair. Le célèbre carnaval jamaïcain, qui draine 2 millions de personnes lors du dernier week-end d'août, est tout ce qui reste de la présence d'une large population antillaise installée au début des années 1950 avant d'être progressivement évincée par le processus de gentrification et d'épuration sociale.

Le contraste est saisissant entre le sud chic de l'arrondissement et le nord, situé à seulement 2 kilomètres de mon domicile. C'est un peu comme si, à Paris, les cités les plus sensibles d'Argenteuil ou de Clichy-Montfermeil avaient été transposées dans la partie la plus huppée de Neuilly.

North Kensington est un endroit populaire et métissé dont le revenu moyen est l'un des plus bas du royaume. Le taux de chômage est le plus élevé d'une capitale qui connaît le plein-emploi. Les habitants ne survivent que grâce à l'aide sociale. L'espérance de vie de la population masculine est de dix ans inférieure à celle d'« en bas ». Les bagarres au couteau ou à la batte de base-ball entre gangs rivaux pour des questions de territoire autour du commerce de drogue rythment la vie quotidienne des laissés-pour-compte de la capitale-monde. Sevrées de ressources, les écoles publiques du coin ne parviennent plus à fournir une éducation de qualité, ce qui rend l'extraction du milieu d'origine plus difficile.

Et c'est en plein cœur de cette zone qu'avait été érigée Grenfell Tower. Soixante-douze occupants ont péri dans le terrible incendie qui, le 14 juin 2017, a dévoré la tour de vingt-quatre étages. Dans la tour HLM vivaient en majorité des familles issues de l'immigration la plus récente. Par mesure d'économies, des panneaux de revêtement bon marché avaient été installés, incorporant une couche de plastique responsable de la vitesse à laquelle le feu s'était propagé. Je n'avais jamais entendu parler de Grenfell Tower avant sa destruction par le feu. Je distinguais l'immeuble sans vraiment le voir lorsque je faisais mes courses dans le vaste centre commercial Westfield situé en face, de l'autre côté de la voie rapide. Le *shopping mall* était patrouillé, de jour comme de nuit, par des vigiles épaulés de chiens pour écarter les jeunes venus notamment de Grenfell Tower.

Comment expliquer la persistance de divisions sociales plus marquées que sur le Vieux Continent ?

Les écarts considérables de richesse en Angleterre ont survécu aux conflits sociaux, aux bouleversements politiques ou aux mutations culturelles. L'absence de révolution ou d'occupation étrangère a maintenu en place la domination de l'aristocratie des champs et de la haute bourgeoisie d'affaires des villes sur la vie économique et sociale. Le protestantisme, et surtout le puritanisme, qui ne se sont jamais souciés de la misère, ont influencé sensiblement l'opinion.

Les conclusions du premier rapport de l'association d'économistes World Wealth and Income Database (WID)[1] sont sans appel : le Royaume-Uni se trouve en haut du panier en Europe en termes d'inégalités. Les 1 % les plus riches contrôlent 15 % des revenus contre 10 % pour la France. Hors d'Europe, seuls le Brésil, la Russie, l'Inde ou les États-Unis font pire[2].

---

1. World Wealth and Income Database (WID). Une autre mesure, le coefficient de Gini, confirme les conclusions du WID. Sur une échelle allant de 0 (égalité parfaite) à 1 (inégalité maximale), le Royaume-Uni se situait à 0,324 contre 0,31 pour la moyenne européenne et 0,292 pour la France, d'après des statistiques de 2015. L'écart s'est creusé depuis en raison de la poursuite de la politique d'austérité. Le coefficient de Gini, ou indice de Gini, mesure le niveau d'inégalité de la répartition d'une variable dans la population.
2. Le constat est vrai uniquement pour les pays pour lesquels le WID a des données détaillées sur les très hauts revenus, ce qui par exemple n'est pas le cas de l'Afrique.

La vieille nation n'a connu qu'une seule période associant croissance économique, redistribution généreuse via l'impôt progressif, puissance syndicale et conservatisme paternaliste : entre 1945 et 1979. Avant le tournant thatchérien, le pays était l'un des plus égalitaires en Europe.

La même tendance se retrouve en matière de patrimoine, d'autant que le WID sous-estime les différences en raison du recours, par les super-riches, à l'évasion fiscale légale à grande échelle.

Autre conséquence de l'approbation des inégalités, les divisions de classes gardent leur marque indélébile. Dès que mon interlocuteur anglais ouvre la bouche, je reconnais immédiatement le milieu dont il est issu. En plus de trente ans de présence au Royaume-Uni, je suis devenu un expert de la stratification sociale.

La hausse considérable des inégalités au cours des quatre dernières décennies a également aggravé les divisions régionales. Le royaume est plus que jamais partagé entre un Nord industriel, qui n'a pas trouvé la voie de la modernisation manufacturière, et un Sud fécondé par les services, à l'instar de la finance, de la high-tech et de la matière grise.

À elle seule, Londres représente 12 % du PIB. La capitale, tout comme ses satellites universitaires que sont Oxford, Cambridge, Reading ou Bath, subventionne le reste du pays. Le revenu moyen au Sud est de 25 % supérieur à celui du Nord, à l'exception d'une poignée de technopoles prospères, comme Manchester, Leeds ou Newcastle. Des pans entiers des confins du pays ressemblent à s'y méprendre à l'Allemagne de l'Est.

En quoi, post-Brexit, cette acceptation des inégalités va-t-elle constituer un avantage pour le Royaume-Uni ? Pour défier avec succès les Vingt-Sept après la sortie de l'UE, le Royaume-Uni va disposer de trois atouts solides qui se situent au cœur de sa culture darwinienne : la déréglementation du marché du travail, l'inépuisable réservoir de main-d'œuvre bon marché et la contraction des dépenses sociales par le truchement d'un État-providence devenu squelettique.

Pour les employeurs, le Royaume-Uni est déjà le paradis sur terre. Ainsi, les entreprises peuvent licencier et recruter en toute liberté en vue d'aligner l'activité et l'emploi. C'est le logiciel qui permet de faire fonctionner les composantes de l'économie en vue de parvenir au chômage le plus bas et au niveau d'emploi le plus élevé. Autre avantage, la contribution patronale est très inférieure à celle pratiquée en France.

Aux plus qualifiés, les jobs les meilleurs et les mieux rémunérés. Les dirigeants des compagnies formant le FT 100, l'indice de la Bourse de Londres des cent plus grosses capitalisations, sont surpayés, même quand leurs résultats sont mauvais. Le régime fiscal favorable, dont ils bénéficient, est honteusement inégalitaire. Certes, le 1 % des riches contribue à 30 % des recettes de l'impôt sur le revenu, mais les importants dégrèvements permettent de baisser substantiellement l'assiette fiscale.

Aux moins qualifiés, au contraire, les contrats précaires où le nombre d'heures de travail n'est pas garanti d'une semaine à l'autre et en vertu desquels les travailleurs sont attachés à la glèbe comme des serfs. L'arrivée de la nouvelle économie a déprimé encore plus les salaires à cause des « petites mains » de la sous-traitance qui prolifèrent et des travaux en ligne. L'économie des petits boulots repose sur le statut d'auto-entrepreneur privé de congés ou d'arrêts maladie payés. Réduits à leur portion congrue, les syndicats ne protègent plus de facto que les employés de la fonction publique.

Un nombre croissant de travailleurs, en particulier jeunes, sont obligés de compléter leur salaire de base, payé souvent au salaire minimum, par un second emploi, voire un troisième, menés de front. Il n'existe pas d'obligation légale à payer les heures supplémentaires. Le différentiel de salaire entre hommes et femmes est parmi les plus élevés en Europe. Les normes de sécurité et d'hygiène sont inférieures à celles dont bénéficient les homologues continentaux. Le régime de vacances n'est pas généreux, avec 20 jours de congés payés et 8 jours fériés.

Les chômeurs sont particulièrement mal lotis. Les prestations sont très modestes[1]. Les démarches pour les obtenir relèvent du parcours d'obstacles. Les sans-emploi doivent constamment rendre des comptes à une administration délibérément cruelle à leur encontre. L'exclusion des allocataires qui refusent une offre qui ne correspond ni à l'emploi précédent ni à leurs qualifications est courante. Le Jobcenter, l'équivalent de Pôle Emploi, part du principe que les chômeurs se la coulent douce et qu'ils essaient de gruger le système.

Le système britannique a d'ailleurs ses émules en France. C'est le cas du Cercle d'outre-Manche d'obé-

---

1. La période de privation des droits se situe entre 7 jours et 3 ans. Les allocations forfaitaires varient entre 66 euros et 130 euros par semaine. Elles sont limitées à 6 mois, après quoi le sans-emploi bascule dans le système de soutien aux pauvres. À titre de comparaison, en France, où les allocations-chômage sont liées au salaire, la durée maximale est de 23 mois. La moyenne des allocations (juin 2017) s'élevait à 1 190 euros.

dience libérale fondé par Arnaud Vaissié et Pascal
Boris, deux anciens patrons français installés à Londres
pour qui « Le Royaume-Uni a été précurseur sur un
certain nombre de réformes importantes devenues
aujourd'hui le courant dominant en Europe, à savoir la
législation du travail souple qui permet aux entreprises
de moduler leurs effectifs en fonction des fluctuations
économiques. La souplesse accordée aux entreprises
en termes de droit du travail est la condition *sine qua
non* au plein-emploi[1] ».

Deuxièmement, le Royaume-Uni bénéficie d'un
énorme réservoir de main-d'œuvre immigrée, peu ou
mi-qualifiée. Cette disponibilité permet de compenser
la faible productivité de la main-d'œuvre britannique
comparée à celle des Vingt-Sept ! La piètre performance
des travailleurs locaux est le résultat des carences de
l'apprentissage professionnel tout comme des insuffi-
sances d'investissements en capital.

La fin de la libre circulation des ressortissants européens ne changera rien à un système fondé sur la
disponibilité de ces travailleurs étrangers corvéables à
merci et mal rémunérés. Le nouveau régime migratoire
britannique post-Brexit sera tout simplement adapté aux
besoins de l'économie.

La flexibilité du marché du travail et l'immigration
vont de pair avec la troisième composante du défi
britannique post-Brexit, le rétrécissement progressif
de l'État-providence. Fondé lors de la Seconde Guerre
mondiale par William Henry Beveridge, cité partout
en exemple, le système veille à tout et sur tout, de

---

1. Rapport du Cercle d'outre-Manche, juin 2018.

la naissance à la mort. Au fil des années, cependant, la voilure du *Welfare State* a été fortement réduite.

Jamais les continentaux n'accepteraient le traitement cavalier que subissent la majorité des sujets de Sa Majesté.

Le Service national de santé, le NHS (National Health Service), totalement gratuit quel que soit le niveau de revenus, en est la meilleure illustration.

Les soins sont rationnés. La visite chez le généraliste régulateur de soins est expéditive, pas plus de 7 minutes en moyenne, et on ne voit jamais le même médecin. Les prescriptions de médicaments se font au compte-gouttes. Les rendez-vous à l'hôpital avec un spécialiste peuvent prendre plusieurs mois. L'attente pour une opération non urgente – cataracte, remplacement d'une hanche, gériatrie, dentisterie, santé mentale – peut aisément dépasser un, voire deux ans.

Dans les hôpitaux, les salles communes, où les lits sont séparés par un simple rideau, restent la norme. Les pesanteurs administratives, les lacunes en matière d'hygiène, d'entretien des équipements ou la gestion des rendez-vous des patients ne cessent de faire scandale. Si les indices de mortalité au Royaume-Uni sont proches de la moyenne européenne, ils demeurent supérieurs pour le cancer – le gros point noir – les maladies cardio-vasculaires ou les attaques cérébrales ! La philosophie des pouvoirs publics est simple : la responsabilité de la santé est la vôtre, pas celle de l'État.

À l'instar de toute la classe moyenne, je suis inscrit au NHS. La santé privée est tout simplement hors de prix. Mon expérience est à cet égard instructive.

Au Westminster and Chelsea Hospital, le meilleur établissement public de la capitale, j'ai dû attendre plusieurs heures en compagnie d'une quarantaine d'hommes en pyjama dans une salle d'une propreté toute relative avant de subir une opération sous anesthésie générale. Pour couronner le tout, à mon réveil, j'ai été placé dans un fauteuil qu'on m'a prié de quitter une heure après mon installation pour rentrer chez moi car il n'y avait pas suffisamment de lits et de chaises disponibles !

Malgré une grave détérioration de ma vision, le NHS m'a refusé une opération de la cataracte sous le prétexte que j'étais trop jeune (67 ans) et que je n'étais pas menacé de cécité ! Devant l'aggravation de mon état, j'ai été obligé de puiser dans mes économies pour me faire opérer dans le privé. La facture s'est élevée à 8 000 euros pour les deux yeux. Une visite chez un médecin privé coûte entre 200 et 345 euros.

Ne cherchez pas midi à quatorze heures, le Royaume-Uni ne consacre que 9 % de son PIB à la santé, contre 11 % en France.

De même, la retraite d'État universelle, que je reçois après trente-cinq ans de vie active au Royaume-Uni, est ridicule. Le montant forfaitaire est de 675 euros brut. Je n'ai pas à me plaindre. Je suis propriétaire et je dispose d'une pension d'État belge. Mais de nombreux Britanniques sont à plaindre. Leur retraite complémentaire, calculée sur leurs cotisations et des abondements très bas de l'employeur, est souvent bien maigre.

Le système favorise ouvertement les classes les plus aisées qui tirent avantage de leur propre fonds de retraite par capitalisation et surtout de leurs multiples placements dans l'immobilier.

De son côté, la politique familiale est dépourvue de quotient familial. Les allocations s'arrêtent après les deux premiers enfants. Seule exception : une femme doit démontrer qu'elle a été violée pour obtenir la couverture d'un troisième enfant ! Pour la Sécu, la collectivité n'est pas financièrement responsable de la décision individuelle d'avoir une famille nombreuse. Les services sociaux sont franchement déplorables, comme le montre la détresse des personnes dépendantes.

Avec le découplage de l'Union européenne, la situation des plus vulnérables va empirer.

Londres bénéficie d'exemptions et de dérogations aux législations sociales européennes en faveur de la protection sociale et des droits des travailleurs. Mais malgré cette exclusion, Bruxelles s'était immiscée pour le mieux dans la législation britannique, que ce soit par exemple en matière d'égalité hommes-femmes ou de la protection de la main-d'œuvre en cas de déménagement de la direction d'une entreprise.

Introduit en 1999, le salaire minimum a été copié sur les systèmes en vigueur au sein de l'UE pour assurer la redistribution des revenus dans l'économie. Si elles ne s'appliquaient pas au Royaume-Uni, bon nombre de directives européennes en matière sociale influençaient indirectement le dispositif britannique dans bien des domaines.

Quand il quittera l'UE, le Royaume-Uni perdra les avantages sociaux fournis indirectement par Bruxelles.

Les détracteurs de ma thèse sur l'acceptation des inégalités soulignent que le Brexit a constitué une révolte populaire contre l'immigration de masse et les élites mondialisées tirant profit des écarts de richesse en question.

C'est ce qu'affirme David Goodhart[1], qui a accolé l'étiquette de « *somewheres* » (« les gens de quelque part ») à ceux qui ont plébiscité le Brexit, et celle d'« *anywheres* » (« les gens de n'importe où ») à ceux favorables au maintien dans l'UE.

À lire l'essayiste, les *somewheres*, moins qualifiés que les *anywheres*, se sont sentis déclassés par les destructions d'emplois concomitantes au progrès technique. Une partie d'entre eux ont été contraints d'accepter des postes moins bien rémunérés, ce qui fait croître les inégalités avec les *anywheres*.

À la polarisation grandissante du monde du travail dont sont victimes les *somewheres* s'est ajouté leur ressentiment envers le sauvetage par le contribuable des banques en difficulté lors de la crise financière de 2008. Ils estiment avoir payé pour l'aveuglement et la cupidité des banquiers en subissant une cure d'austérité draconienne qui se poursuit de plus belle.

Comme l'indique Pepper Culpepper, professeur de politique à la Blavatnik School of Government à Oxford, « Le drame des *subprimes* a cristallisé le sentiment que le système était foncièrement injuste, même si la rescousse des banques a sauvé l'économie britannique du naufrage ». D'autant qu'à l'inverse des États-Unis, de l'Allemagne et de la France, l'État britannique ne récupérera jamais le renflouement très coûteux de ses canards boiteux, gangrenés par la course au gigantisme, à l'instar de la Royal Bank of Scotland ou du Lloyds Banking Group.

Pourtant, n'en déplaise à David Goodhart, la rébellion des *somewheres* contre les inégalités a tourné court. En

---

1. *The Road to Somewhere. The Populist Revolt*, Hurst & Company, 2017.

dépit de l'indéniable clameur en vue d'obtenir davantage de justice sociale, rien n'a vraiment changé après
le fatal référendum. Leur situation s'est même aggravée.

Malgré leur défaite lors du référendum du 23 juin 2016,
les *anywheres* ont repris le pouvoir en s'appropriant les
négociations avec les Vingt-Sept. Le conseiller pour l'Europe
du 10 Downing Street, Olly Robbins, trace seul la carte
post-Brexit du Royaume-Uni. Issu de l'enseignement privé,
il a suivi la voie royale de la filière PPE (politique, philosophie, économie) à l'université d'Oxford. En revanche,
David Davis, le ministre du Brexit, est né dans un milieu
modeste et s'est engagé comme réserviste dans l'armée
pour financer ses études. Mise sur la touche, la figure
emblématique des *somewheres* a démissionné en juillet 2018.

Autre motif expliquant pourquoi, après le Brexit, les
inégalités augmenteront : le choix de la finance offshore
qui doit faire les vaches grasses de la City. Comme
l'explique Lucas Chancel, codirecteur du WID, « si le
gouvernement privilégie la voie de l'offshore après le
Brexit en vue d'attirer les multinationales et les grosses
fortunes, les sociétés et les particuliers vont bénéficier
de dégrèvements et d'exemptions fiscaux. Les inégalités de
patrimoine font les inégalités de revenus et vice versa ».

Plus que jamais sera à l'ordre du jour la coupure
dénoncée au XIXᵉ siècle dans son roman *Sybil* par Ben-
jamin Disraeli, Premier ministre de la reine Victoria,
en « deux nations entre lesquelles il n'y a ni relation
ni sympathie ; qui sont aussi ignorantes des coutumes,
des pensées et des sentiments l'une de l'autre que si
leurs habitants appartenaient à des planètes différentes
qui ne sont pas gouvernées par les mêmes lois... les
Riches et les Pauvres ».

8.

Une société multiculturelle cinq étoiles

Lors du mariage, le 19 mai 2018, de son petit-fils, le prince Harry, avec Meghan Markle, la reine Elizabeth II a dispensé à tous ses invités réunis sous le dôme gothique de la chapelle Saint-Georges du château de Windsor le même charmant sourire. La souveraine était consciente du symbole que représentaient les noces entre le sixième héritier dans la ligne de succession au trône et une actrice métisse. Fastueuse, intemporelle, la monarchie blanche, anglo-saxonne et protestante se mettait à l'heure de la société multiculturelle.

Il était temps.

Certes, la Reine ne peut être soupçonnée de racisme puisqu'elle incarne son royaume. Toutefois, comme toute sa génération, Elizabeth II est profondément marquée par le souvenir de l'empire dans lequel elle a grandi. Née en 1926, elle a été éduquée devant des planisphères couverts de taches roses, la couleur dévolue à l'époque aux possessions impériales. À l'inverse des têtes couronnées scandinaves, belges ou néerlandaises, le monarque n'a jamais utilisé son discours de Noël pour dénoncer les discriminations dues à la couleur de la peau ou à la religion.

Visiblement peu sensibles au politiquement correct, des membres de sa famille ont été accusés de propos désobligeants vis-à-vis des minorités. Le propre époux de la souveraine, le prince Philip, a fait rire aux dépens des Chinois pour leurs yeux bridés. Le prince Harry, qui a épousé la fille d'un père blanc et d'une mère noire, a porté la croix nazie dans une soirée costumée. Il a également insulté l'un des officiers de son régiment en le traitant de « paki » (expression raciste visant les Indo-Pakistanais).

Reste que beaucoup d'eau a coulé sous le pont de Waterloo. Aujourd'hui, l'écuyer de la Reine est un officier noir d'origine ghanéenne. La relève de la garde tous les matins à Buckingham Palace compte des visages basanés. Et Meghan Markle, nouvelle duchesse de Sussex, a été la star incontestée des traditionnelles garden-parties royales de l'été sur la pelouse de Buckingham Palace.

Grâce à ce mariage médiatisé à l'échelle mondiale, la monarchie s'est de nouveau offerte comme un rempart contre les remous de l'heure, en l'occurrence aujourd'hui le Brexit. La ferveur quasi religieuse de la foule au passage du cortège et l'explosion de « Meghamania » ont permis de faire oublier, le temps des festivités, que le vote en faveur du départ de l'Union européenne a été essentiellement motivé par le racisme et la xénophobie. Répétons-le, quitte à indisposer : le vote pour le Brexit a été d'abord guidé par le rejet de l'immigration, pas seulement européenne, mais aussi africaine et asiatique.

Paradoxalement, la sortie de l'UE va permettre au Royaume-Uni de régler le problème de l'immigration alors que les Vingt-Sept n'ont pas de réponse globale au-delà de la sous-traitance des réfugiés à d'autres pays comme la Turquie, la Libye ou le Niger. La société multiculturelle britannique en sortira plus forte et plus diverse. Porté par une flambée populiste, le Brexit a tué le populisme. Le dispositif en faveur d'une immigration choisie et ciblée permettra à l'économie de mieux résister au choc du départ.

La nausée. La campagne du référendum avait été marquée par le déchaînement d'une xénophobie ouverte que je n'avais jamais éprouvée en trente ans de séjour outre-Manche. Les Britanniques réputés tolérants étaient-ils devenus fous ?

La faute en revient au camp du *leave* et à ses chefs. Ainsi, l'ancien maire de Londres, Boris Johnson, avait crûment évoqué le spectre d'« un afflux d'assassins, de terroristes et de kidnappeurs venus de pays comme la Turquie, si la Grande-Bretagne reste dans l'UE ». Les maternités du Service national de santé allaient être submergées par des mères turques. Cette accusation était d'autant plus révoltante que le démagogue, nommé ministre des Affaires étrangères après le vote, avait un arrière-grand-père turc, côté paternel, et avait soutenu l'adhésion d'Ankara à l'UE. Au fil des meetings, Boris-le-déjanté n'avait eu cesse de mettre dans le même sac l'immigration, la criminalité ou l'exploitation des aides sociales.

Tout aussi indécent avait été le poster placardé dans tout le pays par la formation europhobe UKIP montrant des milliers de jeunes hommes migrants mal rasés, sales et menaçants, marchant vers la frontière entre la Croatie et la Slovaquie. « L'ennemi est à nos portes ! », claironnait le slogan d'une affiche d'une redoutable

115

efficacité, liant peur des réfugiés et peur sécuritaire, liée à l'islam. Bref, le propos était clair : la prochaine étape est l'Angleterre. Lorsqu'on décodait le message subliminal, le viol de « nos sœurs, nos mères, nos filles » était au coin de la rue.

C'était l'un des mensonges immondes dont les *brexiters* les plus ultras ont été coutumiers. Alors que l'Allemagne avait accueilli 1,1 million de demandeurs d'asile syriens, irakiens ou afghans en 2015, le Royaume-Uni n'avait accepté que 166 réfugiés ! La presse tabloïd eurosceptique avait fait toute une histoire de ce chiffre insignifiant.

Le 16 juin 2016, la députée Jo Cox, l'une des figures de proue du camp du maintien dans l'Union européenne et ennemie jurée des racistes de tout poil, a été assassinée par un néo-nazi.

Lors du référendum, dans mes articles comme dans les débats, je m'étais fait l'avocat fervent de la continuation du statu quo. Le camp d'en face insultait le réel et le bon sens.

Ma défense résolue des immigrants était liée au fait que je suis moi-même un fils d'immigrants. Mon père, originaire de Pologne, s'était installé avec sa famille à Anvers en 1924. Mes grands-parents maternels, qui venaient également de Pologne, s'étaient établis dans la capitale du plat pays, où ma mère est née. J'ai vu le jour à Bruxelles, où j'ai fait mes études avant de m'expatrier. C'est la raison pour laquelle les scènes de migrants fuyant la misère et les persécutions m'avaient beaucoup ému.

J'étais persuadé que dans l'isoloir, le 23 juin 2016, les risques économiques du Brexit allaient l'emporter sur l'hystérie migratoire. Le slogan « *It's the economy, stupid !* » qui avait guidé la victoire de Bill Clinton en

1992, n'était-il pas le meilleur barrage contre l'extrémisme ?

Lors du référendum, plus de 3 millions de ressortissants de l'UE, dont un bon tiers de Polonais, vivaient au Royaume-Uni. Cet afflux avait permis d'atténuer les problèmes de pénurie de main-d'œuvre.

Les Polonais et les Baltes, mais aussi les Européens du Sud, occupaient des emplois vacants ou nouveaux, payés au salaire minimum, dans les secteurs de l'agriculture, du BTP, de l'entretien, de la restauration, de la santé ou de l'aide à la personne. Les ressources en main-d'œuvre locale n'étant ni suffisamment nombreuses, ni assez compétentes, les nouveaux venus avaient des qualifications complémentaires.

Résultat, la forte hausse de l'immigration n'affectait en rien un taux de chômage au plus bas. Les flux de nouveaux venus n'avaient pas fait baisser les salaires de la population locale en concurrence. Par le truchement de la déréglementation du marché du travail, le Royaume-Uni – à l'opposé de la France – privilégie les « outsiders », qui viennent sur le marché, par rapport aux « insiders » qui disposent déjà d'un emploi.

Les jeunes immigrants européens, durs à la tâche, se sont facilement fondus dans leur nouveau port d'attache. À l'inverse de tant de leurs collègues anglais, ils ne disparaissaient pas subitement et sans fournir d'explications pour aller au pub, chez les bookmakers ou effectuer un autre petit boulot.

À écouter Paul Johnson, directeur de l'Institute for Fiscal Studies, un centre de recherche économique indépendant, « Cette immigration n'a pas provoqué de chômage chez les travailleurs britanniques. La présence des immigrants a permis de contrôler les augmentations salariales et les pressions inflationnistes ». CQFD.

Je vivais depuis 1985 à Londres, mégalopole multiculturelle, dynamique et accueillante à toutes les couleurs de la planète. C'est un gigantesque aimant où l'on parle plus de 200 langues et où l'on peut manger les cuisines de la planète entière. Un tiers au moins de la population de la capitale est née à l'étranger. Je revendique avec fierté le label de « citoyens de nulle part », le sobriquet dont Theresa May nous avait affublés lors de sa prise de fonction. En vue de renforcer ses lettres de créance, la Première ministre cherchait alors à gagner les faveurs des anti-Brexit attachés à l'identité du terroir et de la nation.

Londonien d'adoption, j'avais bien sûr une confiance totale dans le modèle britannique du multiculturalisme qui autorisait les nouveaux ressortissants à préserver leur culture propre.

C'est ainsi qu'en 2016, j'avais porté mon suffrage sur le candidat travailliste à la mairie, Sadiq Khan. Ce fils de conducteur d'autobus, musulman pratiquant d'origine indo-pakistanaise, né au sud de Londres, a battu à plates coutures le milliardaire conservateur Zac Goldsmith. Ce dernier était ouvertement pro-Brexit. Il n'avait jamais critiqué son père, le pirate des affaires, feu sir James Goldsmith, bailleur de fonds de toutes les causes extrêmes.

Économie, société multiculturelle. J'avais fait doublement fausse route. Plus dur sera le retour de manivelle au moment du référendum.

Tout d'abord, l'antienne à la croissance d'un pays dont la santé économique faisait l'admiration générale dans une zone euro en crise était illusoire. Personne ne prêtait la moindre attention aux récriminations des habitants des quartiers populaires sur l'effet de cet afflux massif et rapide d'Européens de l'Est sur les collectivités locales, les hôpitaux et les écoles déjà mises au régime par la politique d'austérité du gouvernement et la réduction des dividendes de l'État-providence.

La convulsion avait été amplifiée par la rupture dans la justice sociale, l'aggravation objective des inégalités et l'énorme enrichissement de certaines franges de la population bénéficiaires de la mondialisation, financiers, entrepreneurs de start-up, professions libérales, universitaires ou artistes de renom.

Le référendum a eu lieu alors que la société multiculturelle était en pleine crise, comme l'atteste le rapport officiel accusant le gouvernement d'avoir ignoré voire cautionné des « pratiques religieuses ou culturelles régressives » dans la communauté musulmane[1]. Une ségrégation raciale « à l'américaine » sévissait dans des villes industrielles comme Leicester, Oldham, Stoke-on-Trent ou Derby, dont le centre-ville, totalement déserté par la classe moyenne blanche, est presque entièrement occupé par une population d'origine indo-pakistanaise.

Pour terminer en beauté ma correspondance au Royaume-Uni, *Le Monde* m'avait demandé de suivre les deux étapes anglaises du Tour de France 2014 qui s'étaient déroulées dans le Yorkshire, au nord-est de l'Angleterre. Entre Leeds et Sheffield, la caravane de la Grande Boucle avait traversé l'ex-pays noir. Une importante communauté d'origine pakistanaise vit dans

---

1. « The Casey Review : a Review into Opportunity and Integration », 5 décembre 2016.

l'ancienne contrée des filatures. À côté des meilleurs fish-and-chips du pays, des fromages wenslaydale et de l'ale locale, la région chère aux sœurs Brontë produit les meilleurs currys.

Mais les spectateurs massés sur le bord de la route étaient strictement séparés selon la couleur de leur peau : Blancs et Asiatiques ne se mélangeaient pas. Dans le Yorkshire comme dans la plupart des métropoles du Nord, pareil cloisonnement est en vigueur dans l'enseignement comme dans l'habitat. Les passerelles entre les deux communautés sont rares et les échanges peu nombreux.

Blancs et Noirs avaient un seul point en commun : le rejet de l'immigration européenne et de la libre circulation !

La venue massive de Blancs chrétiens a créé un vif ressentiment au sein des minorités asiatique et africaine, inquiètes de l'effet de l'immigration massive sur leur avenir et celui de leurs enfants. D'autant que bon nombre d'immigrés de l'Est, venus de nations homogènes sur le plan racial, professaient des préjugés anti-Noirs et surtout antimusulmans.

Alors que les immigrants non européens étaient soumis à un régime de plus en plus restrictif dans l'un des pays de l'UE les moins ouverts aux étrangers désireux d'y séjourner, les Européens pouvaient aller et venir en toute liberté. Les restrictions à l'ouverture, le 1er janvier 2014, du marché du travail aux Roumains et Bulgares étaient de pure forme.

Ce sentiment de rejet explique que, en dépit de la xénophobie, voire du racisme à peine dissimulé de la campagne des pro-Brexit, bon nombre d'électeurs noirs ont porté leurs suffrages sur le *leave*.

Un choix qui ne surprend guère Rakib Ehsan, spécialiste du vote ethnique à l'université de Londres : « Aux yeux de cette communauté, les valeurs d'intégration étaient britanniques, pas européennes. Par ailleurs, elle était sensible au discours pro-Commonwealth des partisans du départ. Enfin, la libre circulation pour les Européens essentiellement blancs et chrétiens était injuste alors qu'on exigeait des visas des Indo-Pakistanais basanés, musulmans ou hindous, pour pouvoir venir au Royaume-Uni. »

Il n'est pas surprenant dès lors que le Yorkshire, qui avait accueilli le Tour de France avec ferveur, ait voté à 58 % pour le Brexit.

Les germes de la déstabilisation et de la révolte du Brexit avaient été semés en 2004 lorsque le gouvernement de Tony Blair avait ouvert totalement les frontières aux ressortissants des nouveaux pays adhérents à l'Union européenne. À la différence des quatorze autres pays membres, le Royaume-Uni avait refusé de faire jouer les clauses de sauvegarde prévues dans les traités pour retarder jusqu'à sept ans l'accès au marché du travail à l'issue de l'élargissement. « Nous pensions que l'immigration de l'Est sans contrainte était une bonne chose pour la croissance. Ce n'était donc pas une erreur en soi. Nous avons simplement sous-estimé l'ampleur du mouvement migratoire au vu de l'attractivité du Royaume-Uni », insiste, aujourd'hui, Jonathan Powell, directeur de cabinet de Tony Blair du 10 Downing Street entre 1997 et 2007.

La Belgique, l'Espagne et l'Allemagne avaient introduit en catimini des restrictions pour éviter un déferlement de travailleurs et protéger la main-d'œuvre autochtone. À l'inverse, architecte de l'élargissement, le Royaume-Uni avait joué à fond la carte de la libre circulation sans entrave des ressortissants européens prévue dans le cadre du marché unique.

Pour le reste, dans l'esprit de Tony Blair, la non-participation du Royaume-Uni à l'espace Schengen, où le franchissement des frontières intérieures s'effectue librement, sans passeport et sans contrôle, devait permettre de limiter les arrivées de non-Européens. L'introduction en 2008 d'un permis de séjour et de travail « à points », destiné aux non-UE et attribué en fonction des besoins de main-d'œuvre et pour trier les immigrants qualifiés des autres, devait régler le problème de l'immigration.

Résultat de la libre circulation des Européens, en 2016, à la veille de la consultation, le total de l'immigration nette avait atteint le chiffre record de 350 000 personnes sur un an, soit davantage que les États-Unis en pourcentage de la population active. Pour réduire cet afflux, il n'y avait qu'une solution, diminuer l'immigration européenne.

Mais, soutenus par Bruxelles, les pays de l'Est menés par la Pologne refusaient toute restriction sur leurs ressortissants. Les non-Européens allaient donc trinquer. La ministre de l'Intérieur de l'époque, Theresa May, aujourd'hui Première ministre, était sur les charbons ardents. Aux élections européennes de 2014, l'UKIP devenait le premier parti du pays avec 26,6 % des voix, reléguant les Tories de David Cameron à la troisième place.

C'est ainsi qu'est survenu l'horrible traitement de la « génération Windrush[1] ». Il s'agit des immigrants antillais

---

1. En 1948, le navire *Empire Windrush* avait transporté 492 passagers originaires de la Jamaïque pour participer à la reconstruction du

arrivés dans les années 1950 et 1960 au Royaume-Uni. Faute d'avoir demandé un passeport, plusieurs dizaines de milliers de personnes avaient été menacées d'expulsion... de leur propre patrie. Certains avaient même été forcés à quitter le royaume.

Le 29 mars 2019, à minuit, le Royaume-Uni aura officiellement quitté l'Union européenne.

Avec le Brexit, le Royaume-Uni va pouvoir enfin disposer d'une vraie politique migratoire, proactive et efficace, face aux défis de la poussée démographique subsaharienne et des pressions de jeunes Africains et Asiatiques attirés par une vie meilleure dans une Europe plus séduisante, plus riche.

Depuis le Brexit et le départ de nombreux Européens, l'immigration nette annuelle se situe autour de 200 000 personnes. Le gouvernement défend l'idée de réduire ce chiffre à 100 000 entrées nettes.

L'accord de principe entre Londres et Bruxelles sur le sort post-Brexit des ressortissants européens (et inversement pour les Britanniques vivant dans l'UE) reste flou. Pour conserver les mêmes droits que ceux installés avant le Brexit, ils devront s'immatriculer auprès du ministère de l'Intérieur en vue de devenir résidents permanents. L'enregistrement se ferait sur Internet.

Sauf dérogation spéciale négociée d'ici là, à partir du 31 décembre 2021, les Européens seront logés à la même enseigne que les autres immigrants. Tous les

---

royaume. Entre cette date et 1973, quand le Royaume-Uni adhère à la Communauté européenne, plus d'un demi-million d'Antillais étaient venus travailler outre-Manche. C'est la génération « Windrush », au cœur du scandale, qui a coûté son poste au ministre de l'Intérieur, Amber Rudd, le 30 avril 2018.

arrivants seront traités de la même manière par les agents de l'immigration.

Pour ce faire, Londres dispose déjà d'un sésame salvateur : le fameux permis de séjour et de travail « à points » attribué en fonction des besoins de main-d'œuvre et permettant de trier les immigrants qualifiés des autres.

La formule en vigueur divise les immigrants non européens en quatre catégories : les super-riches, les travailleurs hautement qualifiés, les moyennement et peu qualifiés, et les étudiants. Ils sont notés en fonction de critères d'âge, de qualification, de maîtrise de l'anglais et de ressources financières.

Le futur dispositif devrait s'inspirer du permis « à points » canadien, australien et néo-zélandais. À l'instar de la Grande-Bretagne, l'Australie et la Nouvelle-Zélande sont des îles dont il est facile de contrôler l'accès. Le Canada, qui n'a qu'une seule frontière avec les États-Unis, est dans la même situation que le Royaume-Uni, voisin de l'Irlande via les six comtés d'Ulster.

Comme dans les trois autres pays qui ont adopté le même régime, le système britannique basé sur l'obtention préalable d'un visa délivré par un consulat sans lequel il n'y a pas d'entrée possible est non discriminatoire. Ce dispositif n'a pas empêché les nations en question d'être des sociétés multiculturelles, vibrantes et dynamiques. Le permis « à points » permet de trouver une voie mesurée et dépassionnée dans le débat brûlant de l'immigration sans bafouer les droits humains fondamentaux prévus par la Déclaration de New York sur les réfugiés et les migrants[1] à laquelle ont adhéré 191 pays, dont bien sûr le Royaume-Uni.

---

1. ONU, 19 septembre 2016.

Les pays adeptes du permis « à points » comme le Royaume-Uni et le Canada disposent d'un autre atout, un réseau d'ONG et de cabinets juridiques spécialisés dans l'immigration prêts à défendre devant les tribunaux les immigrés à qui l'accès au territoire a été refusé. Ce système ne règle pas le problème des migrants clandestins. Mais comme le montre la signature de l'accord franco-britannique de Sandhurst, en janvier 2018, sur l'immigration, après le départ de l'Union européenne, Londres peut compter sur Paris pour arrêter les flux d'illégaux désireux de gagner l'Angleterre.

Les accords du Touquet de 2003 signés dans la foulée de la fermeture du centre de Sangatte, qui fixent de facto la frontière franco-britannique à Calais, sont le pivot de cette étroite coopération. Des agents britanniques de l'immigration continueront d'opérer dans les terminus Eurostar de Paris, de Calais, de Lille et de Bruxelles tandis que des policiers français seront présents à Londres Saint-Pancras International, à Ashford et à Ebbsfleet. Des contrôles franco-britanniques opéreront dans les ports de la Manche.

L'Europe, en comparaison, est une passoire. L'Italie paye un prix exorbitant dû à sa proximité des côtes de l'Afrique du Nord. Elle est obligée d'accueillir sur son sol les clandestins qui tentent l'aventure de l'immigration sur des rafiots de fortune car en les repoussant, elle les condamnerait à mort. En 2017, quelque 120 000 immigrés sont ainsi arrivés dans la péninsule et on estime que 600 000 illégaux qui n'ont pas droit au régime de réfugiés y vivent aujourd'hui. Beaucoup font des petits boulots, d'autres se sont mis au service de la délinquance organisée.

Paradoxalement, la victoire des partisans du départ a fait reculer de manière dramatique la place de l'immigration dans les préoccupations des sujets.

Le *Times*[1], qui s'était prononcé pour le maintien dans l'UE, a bien résumé ce paradoxe : « Si le Brexit avait été un cri de rage à propos de l'immigration, il fut aussi un moment de catharsis. Les électeurs ont envoyé un message de ras-le-bol aux politiciens de Westminster. Le message était tout aussi important que l'attente de résultats. »

Ironie du sort, au Royaume-Uni, le discours musclé sur l'immigration et la promesse de contrôles plus stricts a laissé de la place à un système plus nuancé, plus compassionnel et moins idéologue.

C'est pourquoi l'exemple du système post-Brexit est à méditer.

---

1. *The Times*, 7 mai 2018.

9.

L'économie du savoir est anglaise

Une célèbre caricature montre la Reine en tenue régalienne, diadème et médailles, dans une salle d'opération de la Royal Air Force lors du Blitz de 1940. La souveraine déplace à sa guise des pions à l'effigie des membres de sa famille. C'est bien vu. Elizabeth II est experte pour déployer sa tribu sur l'échiquier des pouvoirs propres à la monarchie. À commencer par les universités.

On ne compte plus les princes et les ducs royaux qui occupent la fonction honorifique de chancelier d'une grande université britannique. Jusqu'à sa retraite de la vie officielle en 2017, le prince Philip a présidé l'université de Cambridge pendant trente-sept ans. Sa fille, la princesse Anne, est à la tête des universités de Londres et d'Édimbourg. Le prince Charles est en charge de l'université de Galles. Andrew, Edward et le duc de Kent s'occupent respectivement des établissements d'enseignement supérieur de Huddersfield, de Bath et du Surrey.

En outre, la Reine nomme les *Regius Professors*, titre prestigieux fondé en 1497, dont le traitement est couvert par la Couronne, en vue de récompenser les meilleurs professeurs de son royaume.

127

L'intérêt que portent les *Royals* au savoir est, à première vue, paradoxal.

En effet, l'éducation d'Elizabeth II a été, disons-le, sommaire. Les précepteurs lui ont seulement inculqué les grands principes de l'histoire constitutionnelle. Seul le prince Charles, qui a étudié l'histoire à Cambridge, a fait de bonnes études. Tel n'est pas le cas de son plus jeune frère Edward qui, entré à Cambridge par piston, n'a obtenu sa licence que grâce au prestige de son nom. La princesse Anne n'est pas allée à l'université. Les petits-enfants de la souveraine n'ont guère excellé sur les bancs de la faculté.

Par ailleurs, aux yeux de la famille royale comme de la noblesse dont elle est proche, le terme d'« intellectuel » conserve un sens péjoratif.

Reste que les Windsor ont bien compris que les universités font partie intégrante de l'histoire des grandes institutions du pays, au même titre que le palais de Buckingham, la Chambre des communes ou la City. Oxford a été fondée en 1096, Cambridge en 1209 et Saint-Andrews en 1413, pour ne citer que les trois plus anciennes institutions académiques d'un royaume qui en est extraordinairement riche.

Aux yeux de la dynastie, les universités sont à la croisée de l'éducation, de la science et de la diplomatie. Elles aident à promouvoir les intérêts de la Couronne sur la scène internationale. Le recrutement de chercheurs européens de l'Est comme des pays émergents permet de mettre en valeur la qualité des laboratoires et de l'appareil de recherche. Au passage, le Foreign Office peut faire valoir les créances scientifiques des universités britanniques pour avancer ses pions sur les dossiers transversaux, comme la lutte contre le réchauffement climatique, la malaria, la faim ou l'exploitation minière.

Ces jours-ci, Elizabeth II passe sa vie, sa vie vraiment, à rassurer les présidents d'université, amers et anxieux, qui défilent dans son bureau. Professeurs, chercheurs et étudiants ont voté massivement contre le Brexit. C'est assez normal. Les sanctuaires des connaissances se jouent des frontières.

À première vue, la sortie de l'Union européenne constitue un grave péril pour l'enseignement supérieur britannique. L'absence d'accès aux fonds européens de recherche ne cesse de faire polémique. La plus grande incertitude entoure l'équivalence des diplômes et la participation aux échanges Erasmus permettant aux jeunes Européens de passer une partie de leur scolarité à l'étranger. La peur d'un exode vers le continent des cerveaux, inquiets de leur avenir professionnel au Royaume-Uni, alimente le pessimisme ambiant. Environ 125 000 étudiants de l'enseignement supérieur britannique viennent de pays membres de l'UE alors qu'un cinquième des enseignants en sont originaires.

Mais, n'en déplaise aux Vingt-Sept, la rupture des amarres ne va pas briser la formidable *success story* des universités britanniques. C'est l'inverse qui va se passer.

L'idée de ce livre a germé à l'automne 2016, quatre mois après le référendum, en plein psychodrame du Brexit.

Les 3 et 4 novembre 2016, le Centre d'étude des mondes moderne et contemporain de l'université de Bordeaux-Montaigne m'avait convié à participer à un séminaire consacré au 90e anniversaire de la reine Elizabeth II. En tant que biographe de Sa Majesté, j'avais accepté avec grand plaisir l'invitation du professeur Philippe Chassaigne, spécialiste reconnu de l'histoire d'Angleterre. Le colloque avait été un franc succès. Les intervenants avaient été excellents. Alors que je pensais que la souveraine n'avait plus de secrets pour moi, j'avais pris connaissance d'innombrables informations nouvelles à son propos.

Mais c'est surtout l'état de délabrement du campus de Pessac qui m'avait frappé. Les murs étaient recouverts de tags. Gobelets, papiers gras et mégots constellaient une pelouse en très mauvais état. En l'absence de panneaux de signalisation, je m'étais perdu dans un entrelacs de bâtiments plus laids les uns que les autres. La salle de cours était délabrée. La peinture n'avait pas été refaite depuis des lustres. Le projecteur utilisé pour les présentations était antédiluvien, tout comme la sono. Je pourrais allonger la liste des dysfonctionnements à l'infini. Bordeaux faisait triste mine. Au fil des conversations, le corps professoral m'était apparu figé, comme replié sur lui-même et sur ses privilèges.

Par pure coïncidence, la semaine suivante, je m'étais rendu à l'université de Liverpool. Port négrier comme Bordeaux, son centre historique de style victorien, héritage de la splendeur passée du trafic transatlantique, n'est pas sans rappeler le front de mer de la métropole girondine. Mais la comparaison s'arrête là. Fondée à la fin du xixᵉ siècle, Liverpool University fait partie du groupe Russel regroupant les vingt-quatre universités les plus réputées du royaume.

À l'inverse de Pessac, tout ici n'est qu'ordre, hygiène et résultats, tout suinte une paix studieuse. Pas le moindre graffiti, pas un déchet par terre. Les bâtiments et les salles de cours sont nickel. Les vigiles sont omniprésents pour écarter mendiants, dealers et autres indésirables. La bibliothèque est ouverte vingt-quatre heures sur vingt-quatre. Les ordinateurs sont constamment remplacés par le dernier-né de la technologie. S'il existe des cours magistraux en amphithéâtre, les séminaires se font en petits groupes. Le tuteur agit comme mentor auprès d'un très petit nombre d'étudiants, parfois même d'un seul, pour les guider dans leurs études.

Liverpool University a un budget six fois supérieur, pour moins du double des étudiants de l'université girondine. L'établissement peut se targuer de dix lauréats du Nobel. L'université est devenue le fleuron de la renaissance que connaît la patrie des Beatles. Grâce à ce pôle d'excellence, la cité de la Mersey, jadis sinistrée, est désormais synonyme de savoir et de réussite. L'institution possède un campus à Londres et un autre à Suzhou (Chine). Plus de 10 000 étudiants de par le monde sont inscrits aux cours offerts sur Internet qui permettent d'acquérir un diplôme sérieux. Le *Yellow Submarine* est remonté vers la surface.

L'argumentaire est imparable. Brexit ou pas, les meilleures parmi les 130 universités que compte le Royaume-Uni continueront à truster les premières places des classements internationaux.

Les faits sont têtus. Trois établissements (Cambridge, Oxford, Imperial College) figurent dans le dernier top 10 de l'incontournable index Shanghai des plus prestigieuses universités mondiales et vingt dans le top 100. La première française, Paris-VI, est quarantième, la première allemande est juste derrière, et le numéro un belge est à la 69ᵉ place de ce classement qui fait référence.

Il en est de même des *business schools*[1]. Le Royaume-Uni a placé six écoles de commerce parmi les vingt plus réputées en Europe. Aussi, malgré le coût élevé de la vie, Londres peut se targuer d'être la ville étudiante la plus attirante du monde devant Tokyo, Melbourne, Montréal et Paris[2].

Certes, de par sa construction, le classement de Shanghai favorise les grandes universités, les plus anciennes, et le système anglo-américain en général. Il est particulièrement injuste pour les universités continentales, en particulier françaises, qui sont de plus petite taille et récentes.

De surcroît, ces hit-parades sont fondés sur la réputation de la recherche, qui suscite prestige, influence et financements, plutôt que sur la qualité de l'enseignement dispensé.

L'avantage de la langue anglaise, *lingua franca* de l'enseignement supérieur, joue à plein. Les plus importantes revues scientifiques du globe sont publiées dans la langue de Shakespeare. D'après une étude parue en octobre 2017, si le Royaume-Uni ne concentre que 0,9 % de la population mondiale, il représente 15,2 % des articles académiques les plus lus. Or, en matière de publication, les chercheurs non anglophones sont désavantagés en raison de la difficulté de l'anglais scientifique, ainsi que du coût élevé et de la complexité des traductions.

---

1. CFT Business Education, 4 décembre 2017.
2. QS World Education Rankings 2018.

Il n'en demeure pas moins que, dans un contexte de concurrence à couteaux tirés entre universités mondiales en vue d'attirer les meilleurs talents, la plupart des étudiants et des chercheurs étrangers font leur choix en fonction des classements internationaux, critères à leurs yeux d'excellence. « C'est un cercle vicieux. La supériorité de la recherche permet aux universités britanniques de monter dans les classements et d'attirer encore plus d'étudiants étrangers, d'augmenter les revenus et de gagner des places au hit-parade de Shanghai », reconnaît Nick Hillman, directeur du centre d'études Higher Education Policy Institute, à propos de l'incomparable score de l'enseignement supérieur britannique dans la hiérarchie internationale.

Pour résister au rouleau compresseur de la sortie de l'Union européenne, les universités peuvent compter sur trois atouts de poids : la taille et les moyens financiers, la sélection des étudiants qui paient leurs études et les liens étroits tissés avec le secteur privé en matière de recherche.

Car ce sont de véritables entreprises multinationales, au même titre que les géants de l'agroalimentaire, de la pharmacie ou de la défense. Pour se financer, elles se comportent en firmes commerciales. Elles investissent leurs avoirs financiers dans toute la gamme des placements, même les plus exotiques, lancent des emprunts sur les marchés ou se frottent au capital-risque. Comme dans la vie des affaires, leurs dirigeants, professeurs et gestionnaires sont royalement payés. Le salaire annuel du *vice-chancellor* (directeur général) de l'université de Bath, une université de rang moyen, s'élève à plus de 500 000 euros, trois fois le salaire du locataire du

10 Downing Street. Le titulaire d'une chaire peut gagner jusqu'à 200 000 euros, traitement qui n'inclut pas les rémunérations des travaux de conseil.

En comparaison, leurs collègues français soumis à la grille de la fonction publique gagnent une misère. Le salaire maximal, basé sur l'ancienneté, est de 5 000 euros net. Et il n'existe ni prime ni reconnaissance pour les bons enseignants ! Pour être professeur d'université au plus haut niveau, il faut vraiment avoir la vocation.

Mais les professeurs britanniques peuvent être licenciés comme tout un chacun dans le secteur privé. La titularisation ne les protège pas. Ils sont notés par leurs étudiants via des sites Web spécialisés. À partir de 2019, l'enseignant sera jugé « à 360 degrés » par ses pairs, ses étudiants, ses subalternes. Et l'évalué sera obligé de coter sa propre prestation, sorte d'autocritique teintée de... stalinisme. *Publish or die* (« Publie ou meurs »)...

L'évolution d'une carrière académique dépend aussi du nombre d'articles parus dans des revues internationales, de la participation à des séminaires internationaux ou des citations dans les médias.

Tournez-vous vers la France ou l'Allemagne. Une fois nommés, les professeurs sont indélogeables, même s'ils se tournent les pouces. Fondateur de la Toulouse School of Economics, Jean Tirole, qui s'est vu décerner le prix Nobel d'économie en 2014, a déclaré que 90 % de la recherche économique en France est le fait de 10 % des enseignants.

La sélection des étudiants, ensuite. Opéré en toute autonomie par les universités, le processus est fondé sur l'adéquation du profil de l'étudiant aux caractéristiques de la formation. Les candidats sont sélectionnés sur dossier. Les notes du *A-level*, l'équivalent du bac, la lettre de motivation, les recommandations du lycée et les activités extrascolaires entrent en ligne de compte. Parfois, à l'instar de Cambridge et Oxford, les candidats doivent passer deux examens d'entrée écrits et un entretien devant un jury. Les universités sont totalement maîtres du choix de leurs étudiants comme du cursus.

Alors qu'en France ou en Belgique, l'université accepte presque tout le monde, les bacheliers britanniques n'ont pas un droit acquis aux études supérieures[1]. Ceux qui sont refusés entrent directement dans la vie active. Résultat, il n'y a pas d'étudiants à vie qui passent d'une fac à l'autre sans jamais terminer leur licence ou leur master.

Autre mérite du système britannique, l'éducation universitaire est payante. Les étudiants acquittent un droit d'entrée de 9 250 livres en 2017-2018 au moyen d'un système de prêt à l'américaine avec intérêts[2].

Les avantages de ce système sur la gratuité en vigueur avant 1998 sont nombreux. Les droits alimentent les caisses des universités qui ne dépendent pas des aléas du financement public. La qualité de l'enseignement s'en trouve améliorée. Dans pareil régime, on fréquente l'université pour apprendre un métier plutôt que pour

---

1. En 2017, 32,6 % des Britanniques âgés de 18 ans sont entrés à l'université, un chiffre record, mais contre plus de 50 % de l'ensemble des bacheliers français.

2. Le taux d'intérêt était de 6,1 % en 2017. À la fin de leurs études, la dette moyenne est de 60 000 euros, soit le double de leurs condisciples américains. Le remboursement, qui se fait après les études, ne commence qu'à 21 000 livres et est de 9 % de la feuille de paie. Pour réduire la paperasse, le système est géré par le fisc.

se cultiver. L'accent est mis davantage sur les études scientifiques, d'ingénierie, de médecine ou de droit, au détriment des disciplines élitistes traditionnelles telles les langues, la littérature ou les langues mortes. L'étudiant se comporte comme un client attentif au rapport qualité-prix, quitte, par exemple, à exiger d'être dédommagé pour les journées perdues en cas de grève du personnel.

Paradoxalement, la mise en place des droits de scolarité a permis de diminuer les inégalités sociales dans les universités. L'écart entre étudiants riches et moins riches s'est réduit[1]. Grâce au système payant, les étudiants favorisés subventionnent de facto les moins nantis, qui disposent de bourses d'études.

D'ailleurs, les inégalités en matière d'éducation supérieure ne sont guère différentes de celles existant dans les dispositifs gratuits, qui se prétendent plus méritocratiques, en vigueur sur le Vieux Continent. En comparaison, le système français, fondé sur une sélection silencieuse[2], pénalise gravement les étudiants venus de milieux populaires. L'Hexagone revendique l'égalité des chances de son système alors que les classes favorisées sont sur-représentées dans ses universités.

Au Royaume-Uni, le concept de l'université payante rassemble la gauche, au nom de la lutte contre les inégalités, et la droite, attentive au contrôle des dépenses publiques. Le dispositif est également en application au pays de Galles et en Irlande du Nord. La seule exception est l'Écosse, où l'inscription est gratuite, mais

---

1. « Lessons from the End of Free College in England », Brookings Institution, 2018.
2. *Le Monde*, 20 mai 2018.

seulement parce que le gouvernement central soutient financièrement la province.

Dans l'optique du Brexit, le système payant devrait fournir des recettes supplémentaires aux universités. Aujourd'hui, les étudiants européens sont traités de manière similaire à leurs condisciples britanniques. La fin de la libre circulation des ressortissants de l'Union européenne à partir de 2021 va mettre fin à ce régime spécifique. Tous les étudiants étrangers seront traités de la même manière.

Actuellement, les étudiants non communautaires doivent acquitter des droits pouvant s'élever jusqu'à 45 000 euros par an. Le futur pactole ne manquera pas de relativiser les difficultés éventuelles créées par le Brexit. Dans les faits, en vertu du nouveau dispositif, ce seront les gouvernements des Vingt-Sept qui, via des bourses à leurs citoyens les plus brillants souhaitant étudier de l'autre côté du Channel, qui financeront de facto l'essor des universités britanniques. Sans oublier les parents aisés qui paieront le prix fort pour que leurs rejetons aillent s'instruire au Royaume-Uni.

Car les Européens les plus doués n'ont pas le choix. Comme le reconnaît, sous couvert d'anonymat, un économiste de l'université Bocconi de Milan, célèbre *business school* privée qui joue dans la cour des grands européens, « Nous octroyons un excellent enseignement. La recherche est de qualité. Mais les doctorants n'ont pas d'autre choix que de faire leur thèse dans une université britannique ou américaine pour se confronter à la communauté scientifique internationale et pouvoir enseigner au plus haut niveau. À qualité égale, le coût au Royaume-Uni est de loin inférieur à celui des États-Unis ».

Né en Ouganda de parents sud-africains, ayant habité aux Pays-Bas, aux États-Unis, en Allemagne et au Royaume-Uni, le journaliste Simon Kuper est un adversaire irréductible du Brexit. Basé à Paris, le chroniqueur du *Financial Times* souligne que « les donateurs autocrates se tiennent prêts à compenser la perte par les universités des fonds venus de l'UE[1] ».

La réflexion de Kuper est juste. Avec le Brexit, la philanthropie sera encore davantage au cœur de la culture des universités britanniques, en leur permettant notamment d'investir dans la recherche de pointe en créant des laboratoires de classe mondiale. Les universités du continent ne savent pas comment faire appel aux portefeuilles des grosses fortunes. Qu'on ne s'y trompe pas, nous sommes bien dans le marketing au sens le plus pur du terme. Les dons des mécènes coulent à flots en Grande-Bretagne. Il y a tellement d'argent à investir que les universités ne sont prisonnières de personne. Évidemment, on voit le soupçon qui pèse : ah, les conflits d'intérêts ! Mais si les philanthropes peuvent accoler leur nom à un amphithéâtre, un laboratoire ou une chaire d'enseignement, ils n'ont aucun droit de regard sur le contenu des cours, le recrutement des professeurs ou le contenu des travaux de recherche.

L'université d'Oxford incarne cette philosophie au plus haut point. Deux de ses plus récents centres de recherche ont été financés par des personnalités du

---

1. *FT Magazine*, 31 mars-1ᵉʳ avril 2018.

business international déterminées à défendre l'une des plus nobles causes : l'éducation.

La Saïd School of Business a été créée par Wafik Saïd, marchand d'armes d'origine syrienne impliqué dans le versement présumé illégal de commissions par le groupe aéronautique et de défense BAE à des membres de la famille royale d'Arabie Saoudite. En 2016, Barclays a fermé ses comptes en raison de son statut de « personnalité politiquement exposée ».

Il en est de même de la Blavatnik School of Government. Cette institution a été fondée par Len Blavatnik, oligarque proche de Poutine et de Trump. Les autorités académiques ont fermé les yeux sur la source des fonds. Celui qui a bâti la deuxième plus grosse fortune britannique[1] a été récemment anobli par la reine Elizabeth II en reconnaissance de ses « activités philanthropiques ».

Éminent économiste, pourtant très critique des dérives de la City, John Kay n'éprouve aucun remords d'avoir été le premier directeur de la Saïd School of Business : « C'est rare d'avoir un riche donateur qui ait accumulé une fortune grâce à un travail régulier en conduisant honnêtement ses affaires. » Il n'y a donc pas à ruer dans les brancards de la probité.

Au pays de la libre entreprise, nul ne trouve rien à redire, ou si peu, sur la proximité entre les universités et le secteur privé. C'est, entre autres, grâce à ce lien que l'enseignement supérieur britannique va sortir renforcé du Brexit.

L'effort de recherche est certes financé en partie par les pouvoirs publics qui exercent un contrôle scrupuleux sur la conduite et la qualité des projets. Mais les

---

1. « Sunday Times Rich List 2017 », 7 mai 2017.

universités sont totalement libres de passer des accords de partenariat avec le secteur privé en vue d'exploiter leurs découvertes sur le plan commercial.

En 2018, le Royaume-Uni figure à la quatrième place de l'indice mondial de l'innovation[1] derrière la Suisse, les Pays-Bas et la Suède.

Les universités d'outre-Manche sont de plus en plus sollicitées par le secteur privé pour prendre en charge des projets de recherche pouvant déboucher sur des applications commerciales. Les entreprises offrent le financement, l'expertise industrielle et le soutien technologique. De leur côté, les *alma maters* mettent à disposition de ces dernières le savoir de leurs professeurs et chercheurs. Celles-ci conservent généralement le brevet. C'est gagnant-gagnant pour les deux parties.

Loin de vivre en vase clos, à l'instar de tant de leurs condisciples continentaux, les chercheurs britanniques vivent de plain-pied dans la vie économique internationale grâce à cette double appartenance, au monde académique et à celui du business.

Deux universités incarnent l'osmose entre les universités et l'industrie : Imperial College et Cambridge.

Fondé et longtemps financé par l'ex-ICI (Imperial Chemical Industries), célèbre fabricant de plastique, d'engrais, de peintures et d'explosifs, aujourd'hui propriété d'Akzo Nobel, Imperial College excelle dans les sciences, l'ingénierie et la médecine. L'université londo-

---

1. Publié par la Cornell University, l'INSEAD et l'WIPO sur la base de 81 indicateurs pour 126 pays. L'Allemagne est 9ᵉ, le Luxembourg 15ᵉ, la France 16ᵉ, la Belgique 25ᵉ et la Roumanie ferme la marche de l'UE (49ᵉ).

nienne travaille en étroite collaboration avec le fabricant de moteurs Rolls-Royce et le géant informatique IBM. À voir son succès, la mayonnaise recherche-université-entreprises a visiblement pris.

Le Cambridge Science Park est l'autre cas d'école. Créé par le Trinity College, la plus riche et la plus cotée des entités de Cambridge University, la technopole entièrement privée permet aux compagnies de développer les inventions universitaires, en particulier la high-tech, la pharmacie ou les sciences de la vie. Comme c'est le cas en Californie, un grand nombre de multinationales ont installé leur propre campus autour de Cambridge. Ainsi, Google, non seulement recrute les doctorants, mais finance des travaux de recherche de l'université.

À cause du Brexit, les Européens considèrent que les universités britanniques vont à la catastrophe. Au contraire, en dominant la nouvelle économie du savoir, la *knowledge-based economy* fondée sur la matière grise, elles se fabriquent un nouvel avenir planétaire. Face à ce défi, les établissements du Vieux Continent sont confrontés à un terrible dilemme : suivre l'exemple des universités d'outre-Manche ou dépérir. Tenants du juste milieu, s'abstenir !

10.

Le cheval de Troie
de la Chine en Europe

Elizabeth II s'acquitte de sa tâche de représentation avec un art consommé. Elle écoute formidablement et sait déjouer les pièges de la politique. Lors d'une visite officielle, les discussions sur les dossiers internationaux ou bilatéraux n'ont jamais lieu en sa présence. Si son voisin de table essaie de l'entraîner hors des banalités d'usage, elle l'arrête d'un « C'est très intéressant » ponctué d'un sourire, et elle change de sujet. À l'exception du message de Noël, ses discours sont toujours écrits par le Foreign Office.

« Faire et se taire » est sa devise. Sur ses interlocuteurs étrangers, la Reine évite, même en présence de ses ministres, d'émettre des jugements tranchés par peur des indiscrétions à la presse. Tout au plus se limite-t-elle à lâcher « C'est un coriace » ou « Je ne lui ferais pas confiance à celui-là », voire « Après pareille rencontre, j'ai bien envie d'un gin-tonic bien tassé ». Son rôle est de mettre de l'huile dans la défense des intérêts britanniques à l'étranger. Le gouvernement utilise le chef de l'État à cet effet. Elle ne s'en plaint jamais. C'est son job.

Toutefois, lors d'une garden-party royale en mai 2016, en faisant référence à la façon dont la délégation chinoise

143

avait traité ses collaborateurs lors de la visite d'État, en octobre 2015, du président Xi Jinping à Londres, elle avait confié à une haut gradée de la police londonienne qu'elle trouvait les dirigeants chinois « très impolis ». Pour la première fois, Elizabeth II s'était fait piéger par une caméra cachée. Elle avait transgressé son strict devoir de réserve.

Beaucoup de bruit pour rien. La réflexion royale a été passée sous silence en Chine. Quant au palais de Buckingham, il a insisté sur le fait que la visite de Xi Jinping avait été « un franc succès », l'ensemble des parties ayant « travaillé étroitement ensemble pour s'assurer que tout se passe bien ».

Il était hors de question qu'une maladresse de Sa Majesté puisse venir entacher le nouvel « âge d'or » des relations anglo-chinoises. La longue visite de Xi Jinping avait consacré le nouveau rôle du Royaume-Uni en tant que tête de pont des investissements chinois en Europe. Signé à l'occasion du sommet londonien, le contrat nucléaire anglo-chinois de Hinkley Point est la pièce maîtresse des ambitions de Pékin au Royaume-Uni.

Hinkley Point, c'est deux réacteurs nucléaires de type EPR construits dans le Somerset (ouest de l'Angleterre) par le Français EDF et son partenaire chinois, China General Nuclear Power Corporation (CGN). C'est le plus grand chantier d'infrastructure européen des dix prochaines années. La centrale doit démarrer en 2025-2026. Le financement est entièrement assuré par les deux compagnies publiques, EDF et CGN. Si l'État britannique ne met pas un penny dans cette entreprise

144

à haut risque, il a garanti un prix très élevé de l'électricité produite à Hinkley Point.

Au moyen de Hinkley Point, le Royaume-Uni est dorénavant la porte d'entrée du nucléaire chinois en Europe. En prenant pied sur le marché britannique, la Chine décroche un badge d'honneur qui lui permettra de vendre plus facilement son propre savoir-faire dans le reste du monde. Bien que la technologie de Hinkley Point soit française et que CGN ne finance qu'un tiers de la construction, la future centrale sera la vitrine à l'exportation de l'industrie atomique chinoise. En effet, CGN entend construire par la suite une centrale de sa propre technologie dans le sud de l'Angleterre. Si le projet voit le jour, pour la première fois, Pékin aura l'occasion de prouver sa technologie dans l'un des grands pays occidentaux, en l'occurrence le Royaume-Uni.

Hinkley Point sera le point d'arrivée des grands travaux chinois, baptisés la « nouvelle route de la soie ». Construction de routes, de chemins de fer, de ports destinés à relier la Chine à l'Europe… Rien n'est trop beau pour exporter l'ingéniosité de l'empire du Milieu afin de sécuriser son commerce extérieur dans le cadre de la mondialisation. C'est le projet phare du président Xi Jinping en vue d'asseoir la puissance de la deuxième économie au monde après les États-Unis.

Hinkley Point m'a permis de réaliser l'un des grands scoops de ma carrière.

Ma source était un spécialiste des questions énergétiques auprès d'une grande société. Je l'avais appelé dans le cadre de la préparation, aux côtés de mon compère Jérôme Fritel, du documentaire sur HSBC

« Les gangsters de la finance[1] », pour tenter de mieux comprendre la dimension britannique du contrat, complexe et délicat, de Hinkley Point. L'homme ne m'avait pas donné rendez-vous dans un parking sombre de banlieue comme ce fut le cas de « Deep Throat » lors du scandale du Watergate, mais au Goring Hotel, petit palace mythique et discret situé à quelques encablures de Buckingham Palace. Il m'avait invité à déjeuner un vendredi avant de partir en week-end. Un choix étrange dans la mesure où le décor cosy de tapisseries, tableaux champêtres et horloges d'acajou, un tantinet caricatural des valeurs du monde codifié de la gentry anglaise, était à des années-lumière du bruit et de la poussière du site.

À la mention de Hinkley Point, sa main s'était agitée, son débit emballé. Il avait alors lâché, entre deux bouchées de son omelette au homard, que le géant bancaire britannique HSBC travaillait pour les trois parties impliquées dans ce dossier mystérieux. L'enseigne rouge et blanc était en charge des paiements de l'associé chinois. Elle était aussi le conseil d'EDF et du gouvernement britannique.

Fondé au XIXe siècle à Hong Kong, le conglomérat financier HSBC tire la majorité de ses profits de sa position en Asie. La mégabanque est pieds et poings liés au Parti communiste chinois. La responsable de sa filiale britannique, Clara Furse, ex-patronne de la Bourse de Londres, a apporté son aide à la place financière de Shanghai en se félicitant publiquement de la légèreté de la réglementation financière chinoise comparée à la régulation britannique.

---

1. « Les gangsters de la finance », de Jérôme Fritel et Marc Roche, Arte, 2017.

Mon interlocuteur s'était brutalement levé pendant que je prenais des notes pour s'esquiver, en murmurant des paroles confuses. Son embarras était compréhensible. Sa confidence m'avait confirmé ce que je pressentais, à savoir qu'avec la bénédiction de Londres, la Chine était le véritable maître d'œuvre du projet de Hinkley Point...

Le contrat nucléaire est venu couronner l'accord financier anglo-chinois de 2013.

En 2010, le nouveau ministre conservateur des Finances, George Osborne, était déterminé à sortir la relation bilatérale avec la Chine de l'ornière. Les rapports anglo-chinois avaient été longtemps plombés par les bisbilles sur la rétrocession de Hong Kong, les atteintes aux droits de l'homme en Chine et l'amitié entre le prince Charles et le dalaï-lama.

Osborne, fils de baronnet, a toujours été proche de Pékin. À 18 ans, il avait parcouru la campagne chinoise en sac à dos et avait gardé de cette aventure un profond attachement à ce pays.

« George Osborne et moi partagions la même fascination pour la Chine, pour une raison bien simple : l'importance de 1,3 milliard de Chinois pour l'économie mondiale et la nécessité de mettre le Royaume-Uni au cœur de cette relation. D'ailleurs, les Chinois ont apprécié la main qu'on leur tendait, qui a permis de consolider cette relation privilégiée », se souvient l'ex-secrétaire d'État au Trésor dans l'équipe Cameron, Lord O'Neill[1].

Sous la houlette de George Osborne, en 2013, en vertu d'un accord financier anglo-chinois hors normes, tous

---

1. *Idem.*

les verrous réglementaires ont sauté. En dépit de l'hostilité de la Banque d'Angleterre, les banques chinoises ont reçu l'autorisation d'ouvrir des succursales dans la City. L'émission par le Royaume-Uni d'un emprunt libellé en yuans sur le marché chinois et par la Chine à Londres du premier emprunt obligataire offshore, aussi en yuans, a concrétisé la nouvelle alliance.

Et, cerise sur le gâteau, sans se soucier de l'opposition du Foreign Office et de l'administration Obama, le Royaume-Uni a adhéré à l'Asian Investment Bank qui, dans l'esprit de Pékin, doit concurrencer la Banque mondiale basée à Washington.

Aussitôt, l'argent chinois s'est précipité dans la brèche. La City n'avait rien vu de pareil depuis l'afflux au Royaume-Uni des pétrodollars proche-orientaux dans les années 1970. L'arrangement a consacré Londres comme la tête de pont européenne des capitaux chinois. « Mon but est d'insuffler un petit élément de risque dans la relation entre le Royaume-Uni et la Chine », s'était vanté Osborne dans une interview au *Financial Times*[1] pour répondre aux critiques de laxisme réglementaire adressées par le quotidien aux pages saumon.

L'allégresse a été toutefois de courte durée. Le Brexit a fracassé le nouvel élan. La victoire du *leave* lors du référendum du 23 juin 2016 a plongé le grand dessein chinois du Royaume-Uni dans l'incertitude la plus totale.

Visiblement, le départ de l'UE d'un pays qui était devenu son premier allié a été très mal vécu par Pékin. D'abord, les deux hommes liges de la Chine, Cameron et Osborne, ont été chassés du pouvoir comme des

---

1. *Financial Times,* 24 septembre 2015.

malpropres. Par la suite, la nouvelle Première ministre, Theresa May, a durci le ton contre les investissements chinois dans des secteurs stratégiques au nom de la protection de la sécurité nationale. Le 2 août 2016, le chef du gouvernement a suspendu le gigantesque chantier nucléaire d'Hinkley Point pour se donner le temps d'analyser le dossier.

Il y avait de quoi s'inquiéter. Le Royaume-Uni était le seul pays au monde à vendre ses infrastructures nucléaires à la Chine. Les milieux politiques et les experts britanniques craignaient pour la future indépendance énergétique du royaume. Les services secrets redoutaient que la mainmise de Pékin sur le secteur stratégique du nucléaire civil ne constitue une menace pour la sécurité nationale, sans parler de la réputation qu'ont les Chinois de piller les technologies de leurs partenaires en affaires.

Toutefois, contrairement aux apparences, Theresa May n'a pas relevé le pont-levis face à l'invasion. Le durcissement de ton était destiné à la galerie. Elle n'a aucunement l'intention de tuer la poule aux œufs d'or en risquant des représailles chinoises.

En 2017, malgré la sortie programmée de l'UE, les riches Chinois du « Mainland », de Macao ou de Hong Kong ont représenté plus d'un tiers des « passeports dorés » accordant un visa britannique en échange d'investissements hors immobilier d'au moins 2,25 millions d'euros. Ce visa permet de devenir résident permanent au bout de cinq ans... voire moins si la somme dépasse 11 millions d'euros. Parmi les grandes fortunes qui ont élu domicile à Londres, les ressortissants chinois ont été de loin les plus nombreux, devançant les Russes et les Proche-Orientaux.

Comme les milliardaires venus d'ailleurs qui se sont installés outre-Manche, les expatriés chinois nantis sont fascinés par la société britannique. Ils se sont jetés goulûment sur les luxueuses résidences, les magasins haut de gamme, les restaurants à la mode ou les clubs de football.

Parallèlement, les étudiants chinois ont envahi les universités britanniques réputées pour l'excellence de l'enseignement des sciences, de l'économie et de la comptabilité. À l'évidence, à voir cet afflux, la sélection à l'entrée des candidats chinois a été plus indulgente que pour les autres.

Confrontés à une telle demande, Oxford, Cambridge, Imperial College, la London School of Economics tout comme les grandes citadelles du savoir de province ont ouvert des campus en Chine. Les universités chinoises font de même en Angleterre. Ainsi, la Business School de l'université de Pékin a créé une antenne à Oxford destinée, à écouter le directeur adjoint, Young Joon Park, « à former les futurs milieux d'affaires chinois à la mondialisation dans le cadre de l'internationalisation de l'économie chinoise ».

L'impressionnant lobby chinois patiemment bâti par Pékin au sein de l'establishment londonien a également donné de la voix pour défendre Hinkley Point.

Ce groupe de pression très influent comprend bien sûr les deux grands amis de la Chine que sont David Cameron et George Osborne, reconvertis dans les affaires avec... l'empire du Milieu.

Depuis son départ du pouvoir, Cameron a créé pour investir dans les « nouvelles routes de la soie » le fonds d'investissement UK China Fund. Pour sa part, George Osborne utilise le quotidien londonien *Evening Standard* qu'il dirige pour défendre les positions de Pékin, que ce soit en mer de Chine ou sur le plan commercial. Dans cette entreprise, le groupe de pression peut aussi compter sur l'appui des armateurs grecs, dont Londres est la plaque tournante, très liés aux chantiers navals chinois.

Le 15 septembre 2016, après des tergiversations de pure forme, Theresa May a donné son feu vert à la construction de Hinkley Point.

La perspective du Brexit n'a rien changé au tropisme chinois des Britanniques. Les Chinois ont continué, comme si de rien n'était, de coloniser l'économie du Royaume-Uni au plus grand bénéfice de ce dernier.

L'Angleterre est le grand gagnant de l'aventure. La peur du « péril jaune » a disparu des fantasmes depuis bien longtemps. Le royaume ne connaît plus le patriotisme économique depuis la nuit des temps. Si certains ont voté résolument en faveur du Brexit par souci de regagner la souveraineté nationale, sur le plan économique, les Britanniques se sont toujours vendus au plus offrant. Après tout, c'est « une nation de boutiquiers », pour reprendre la description peu amène de Napoléon.

Hier comme aujourd'hui, les étrangers peuvent faire main basse sur le patrimoine du berceau de la révolution industrielle. Londres se montre peu regardant, même pour les bijoux de la Couronne. Personne ne veut contrecarrer Pékin en refusant ses capitaux dont l'économie britannique a plus que jamais besoin en raison du Brexit.

Outre-Manche, le filon d'investissements chinois n'est pas près de se tarir, loin de là. Les bruits charmeurs du tiroir-caisse à yuans réchauffent les oreilles du grand argentier d'Albion.

L'industrie britannique traditionnelle n'a jamais intéressé les investisseurs chinois, privés comme publics. Ils ne jurent, en Europe, que par les fleurons allemands de la machine-outil, de l'automobile, de l'aéronautique. Outre-Manche, l'État chinois, par le biais de sa banque centrale, a privilégié la finance.

Après le 29 mars 2019, libéré des contraintes réglementaires communautaires, le royaume sera libre de n'en faire qu'à sa tête avec la Chine. Dans l'ère post-Brexit, la City va pouvoir renforcer son rôle d'architecte de l'internationalisation de la monnaie chinoise, le yuan. L'immense drapeau rouge à l'étoile jaune placé à l'entrée de la succursale de la Bank of China dans la City, située juste en face de la forteresse de la Banque d'Angleterre, symbolise le statut privilégié de Londres dans ce processus.

Le point de départ de la politique d'internationalisation du yuan est la constatation qu'une superpuissance économique exportatrice ne peut pas dépendre du dollar. La tourmente financière de 2008 avait notamment provoqué une crise de liquidités en devises américaines. Conscient de sa vulnérabilité aux soubresauts du billet vert, la Chine entend reprendre en main sa destinée à tout prix.

À ses yeux, le marché des devises mondiales doit refléter la réalité des échanges commerciaux. « L'idée est qu'une grande nation marchande et exportatrice doit obligatoirement avoir une grande monnaie. Pékin ne veut pas rivaliser avec le dollar mais exister à son côté », explique Paola Subacchi, chercheuse au Chatham House de Londres[1]. Aujourd'hui, la « monnaie du peuple » ne représente qu'une partie infime des transactions en devises contre 30 % pour l'euro et 45 % pour le dollar.

Pour une superpuissance dotée d'énormes réserves financières provenant du boom économique, le statut monétaire actuel de second plan est une humiliation nationale. La Chine dispose de mégabanques d'État et de fonds souverains richissimes. Elle a les moyens de ses ambitions : devenir le banquier du monde. La Chine possède les réserves de change les plus importantes de la planète, que ce soit en dollars, en euros, en yens ou en francs suisses. Mais ce sont les monnaies des autres, sur lesquelles elle n'a aucune influence. Prestige oblige, elle doit disposer d'une monnaie qui reflète son rang et son ascendant. C'est pourquoi Pékin veut imposer sa propre devise coûte que coûte dans la cour des grands.

Après le Brexit, Londres sera plus que jamais le pivot de la stratégie chinoise de conquête de sa souveraineté monétaire. La City, qui abrite le premier marché des changes au monde, a créé de toutes pièces une plate-forme offshore du yuan en 2012. La réglementation financière pilotée par l'UE ne pouvait qu'entraver l'expansion de cette enceinte extraterritoriale située à ses portes.

En quoi le Brexit va-t-il aider le Royaume-Uni à contrarier l'Union européenne avec l'argent chinois ? Après le largage des amarres, Londres va être amenée à légaliser l'argent chinois qui, le cas échéant, pourra ensuite être réinvesti sans aucun problème sur le Vieux Continent.

---

1. *People's Money. How China is Building a Global Currency*, Columbia University Press, 2017.

Car le cheval de Troie aux couleurs de l'Union Jack cache une finance chinoise totalement différente de la nôtre. C'est le trou noir des trous noirs, totalement inintelligible. Personne ne connaît l'ampleur des sorties de capitaux des entreprises et des ménages que le gouvernement chinois, même s'il le souhaitait, est incapable de freiner. La finance chinoise n'est pas soumise aux mêmes impératifs de transparence et aux mêmes exigences de réglementation qu'en Europe.

Autre caractéristique, les banques chinoises sont à la solde du Parti communiste dont elles servent les intérêts politico-économiques. Ainsi, elles prêtent aux entreprises publiques à des taux d'intérêt de loin inférieurs à ceux réclamés aux entreprises privées. Le gratin des dirigeants du PC figure sur la liste des détenteurs de comptes secrets dissimulés derrière des sociétés-écrans révélée dans les « Panama Papers ».

Enfin, à côté des circuits officiels prospère une finance de l'ombre, le fameux *shadow banking*. Totalement opaque, informelle, sans trace, cette nébuleuse de dettes et de prêts constitue un péril potentiel pour l'économie occidentale. Son ampleur est sidérante. Le contournement massif des règles par le hors-bilan[1], la corruption endémique, l'absence de gouvernement d'entreprise ou de procédures de contrôle des risques ainsi que le sous-développement du cadre juridique et comptable font de ce secteur parallèle une véritable bombe à retardement.

---

1. Le recours à des instruments financiers n'impliquant pas la mobilisation d'actifs inscrits au bilan peut finir par représenter une bulle financière échappant à tout contrôle, comme on l'a vu lors de la crise des *subprimes* de 2008.

Qui dit internationalisation de la monnaie et de la finance chinoises dit passage obligé par Hong Kong. Placée de facto sous la double protection de la Chine et du Royaume-Uni, la « baie des Parfums » est l'un des paradis fiscaux les moins recommandables. Malgré la rétrocession de 1997, entre le Royaume-Uni et l'ancienne colonie, c'est toujours cousin-cousine. C'est par ce sas que transitent les immenses flux d'argent chinois à la recherche d'un placement sûr et rémunérateur dans la City.

Héritage de la colonisation britannique, Hong Kong est apparemment pourvu de toutes les spécificités d'un centre financier respectable : un régulateur, la Hong Kong Monetary Authority, une monnaie convertible indexée sur le dollar, un système légal basé sur la *common law*. S'ajoutent une culture financière sophistiquée, des professionnels venus du monde entier, une Bourse renommée et des médias économiques de tradition anglo-saxonne.

Sous l'œil impassible du gouvernement de Sa Majesté, la métropole se veut la devanture officielle d'une Chine moderne et entreprenante propre jusqu'au bout des ongles. En réalité, le coffre-fort extérieur de la Chine est une lessiveuse comme on n'en fait plus. Le formidable réseau de compagnies fiduciaires, de cabinets d'avocats d'affaires, de bureaux de change et de banques privées blanchit les fonds en un tournemain.

« Hong Kong est fait pour attirer l'argent sale. Il s'agit d'une juridiction très secrète qui blanchit un énorme nombre de transactions, licites comme illicites », indique John Christensen, fondateur de l'ONG Tax Justice Network, à propos de ce pôle de captation des capitaux chinois sortis clandestinement du pays pour les recycler dans une économie britannique ouverte à tous les vents.

Londres a offert à Hong Kong un cadre parfaitement légal pour blanchir l'argent : la « BVI ». Les initiales sont celles des îles Vierges britanniques (British Virgin Islands), un territoire d'outre-mer de la Couronne qui sent l'argent noir à plein nez. L'archipel des Antilles, sans taxes ni droits de douane, n'a pas son pareil pour participer au recyclage des fonds chinois.

Créer une BVI est un jeu d'enfant. Autorisée par la mère patrie, cette entité offshore permet de cacher l'identité des investisseurs et de rapatrier une partie de l'argent en Chine sous le couvert d'un investisseur étranger bénéficiant d'une fiscalité avantageuse et ce, partout dans le monde. D'ailleurs, les British Virgin Islands sont le deuxième investisseur étranger en Chine après les sociétés de Hong Kong... L'autre partie des fonds va directement alimenter les salles de marché de la City.

En arrimant plus facilement la finance chinoise à la finance européenne, le Royaume-Uni a fait entrer le diable dans la boîte. Et après le Brexit, qui osera défier le parrain de Pékin que sera devenue la City ?

11.

Brexit avec croissance

C'est George VI, souverain régnant entre 1936 et 1952, qui surnomma pour la première fois la famille royale « La Firme ». L'expression est restée. Sa fille, Elizabeth II, s'est coulée facilement dans le moule de P-DG de l'entreprise royale.

Le fonds de commerce de « La Firme » est double : l'image et la trésorerie.

Symbole historique du pays, promotion des intérêts du royaume à l'étranger, assiduité à la tâche, sens de la continuité... l'image de la famille royale fait vendre. La preuve, le vin de Bourgogne, cuvée Les Sétilles, servi lors du dîner de gala par le prince Harry et Meghan Markle pour leurs noces, le 19 mai à Windsor, a été rapidement en rupture de stock non seulement en Angleterre, mais aussi aux États-Unis et au Japon.

Le secteur touristique, dont la contribution au produit national brut est substantielle, fait ses choux gras de la Windsor Inc. Le label By Appointment to Her Majesty the Queen, accordé gratuitement par le Palais aux fournisseurs de la Cour les plus méritants, vaut également son pesant d'or en haut d'un papier à lettres, sur une carte de visite, un rapport de conseil d'administration, une camionnette de livraison ou la devanture d'un magasin.

La trésorerie royale est constituée d'un patrimoine foncier, d'un portefeuille d'actions et d'obligations britanniques ainsi que des revenus immobiliers de la Couronne destinés à couvrir les frais de fonctionnement de la monarchie. Les membres de la famille royale tirent une part substantielle de leurs revenus de cette structure.

Le prince Charles est l'exception. L'héritier du trône dispose de sa cagnotte personnelle, le duché de Cornouailles, totalement indépendante de sa mère. Croisé de l'agriculture biologique, le fils aîné d'Elizabeth II a créé de toutes pièces la compagnie Duchy Originals, réputée pour ses produits bio originaires des fermes et ateliers de son domaine. Estampillés aux armes du prince de Galles, les quelque 230 produits (biscuits, confitures, chocolats, serviettes, outils, vins...) sont vendus dans une trentaine de pays, de l'Australie au Japon.

En tant que patronne de La Firme, Elizabeth II est constamment attentive au pouls de l'économie britannique et se renseigne sur les principales tendances et menaces.

À l'occasion de l'inauguration, en novembre 2008, d'un nouveau bâtiment à la London School of Economics, la souveraine avait demandé au directeur de recherche : « Mais si cette crise était si prévisible, comment se fait-il que personne n'ait rien vu venir ? » L'universitaire avait répondu que chaque élément du système financier comptait sur la fiabilité du voisin. « C'est horrible ! » avait juste commenté la Reine, manifestement au courant des tenants et aboutissants de la crise des *subprimes*.

Après le référendum, le monarque redoutait le pire. Elle est aujourd'hui rassurée. La conjoncture a résisté au choc du prochain départ de l'UE. À moyen terme, la sixième économie au monde en 2018 devrait même en profiter.

C'est en tout cas ce qu'affirme Lord King. L'ancien gouverneur de la Banque d'Angleterre entre 2003 et 2013 est une intelligence aiguë qui a l'art de peser ses mots et ne s'abandonne jamais aux grandes démonstrations ou aux idées déconcertantes.

L'ex-banquier central défend le Brexit sans états d'âme : « Personne ne prétend que ce sera rose, mais en même temps ce ne sera pas la fin du monde. La sortie va créer des opportunités réelles que nous devrons saisir. Le Royaume-Uni pourrait être dans une meilleure position hors de l'UE qu'à l'intérieur. »

Lord King était un oiseau rare dans la campagne référendaire dans la mesure où il s'était ouvertement prononcé en faveur du mouvement *leave*. Son successeur à la tête de l'institut d'émission, Mike Carney, s'était, pour sa part, joint aux milieux d'affaires et à l'immense majorité des économistes comme aux banques de la City pour brandir les graves menaces économiques qu'aurait constituées un vote en faveur du départ.

Les *remainers* étaient formels. Les sujets de la Reine seraient plus pauvres, leurs salaires chuteraient, les prix s'envoleraient dans les supermarchés et le marché immobilier s'effondrerait, avec le spectre d'une récession à la clé.

Le *Project Fear*, le « projet Peur », mis au point par le chancelier de l'Échiquier, George Osborne, était destiné à effrayer l'électorat. Le grand argentier avait sans cesse agité la menace d'une catastrophe si les électeurs votaient en faveur de la rupture avec le projet européen. Il ne manquait pas une occasion de dire que les entreprises britanniques, les agriculteurs, les services de sécurité perdraient en cas de Brexit.

De leur côté, comme ils ne croyaient pas la victoire possible, les *brexiters* n'avaient pas jugé bon de développer un argumentaire économique pour répondre à tous ceux qui prédisaient l'apocalypse.

Devant les cris d'orfraie des économistes, le coprésident du camp du *leave*, Michael Gove, s'était contenté de proclamer que « le peuple britannique en a ras-le-bol des experts ». Dans le climat populiste de la consultation, Gove avait fait mouche, comme l'explique Paul Romer, ancien chef économiste de la Banque mondiale : « Le Brexit a été un vote contre l'avis des économistes... Les électeurs ont réagi négativement en percevant leur hypocrisie. Ils se comportaient comme des militants tout en invoquant l'autorité scientifique. »

« Le Brexit n'offre aucun avantage sur le plan économique », affirme aujourd'hui, sur un ton péremptoire, Paul Johnson, directeur de l'Institute for Fiscal Studies, un centre de recherche indépendant qui évalue les politiques publiques sur les effets d'une sortie conjuguée du marché unique et de l'union douanière.

Quoi qu'en disent les oiseaux de mauvais augure, l'économie britannique a bien résisté au choc de la rupture future avec l'UE, même si le Brexit a déjà coûté quelque 1 000 euros par foyer sur deux ans, à en croire la Banque d'Angleterre.

En dépit de l'affaiblissement de l'activité, le cataclysme ne s'est pas produit. Au contraire, l'économie britannique s'est montrée plus résiliente que prévu.

Certes, un léger ralentissement de la conjoncture est à l'ordre du jour. La croissance annuelle est légèrement inférieure à l'activité escomptée avant le vote. Il n'en demeure pas moins que si le Royaume-Uni est tombé de la première place du podium des pays du G7[1] à la dernière en termes de croissance, l'activité est restée positive trimestre après trimestre. La consommation des ménages a bien résisté. Quant à l'immobilier, bon indicateur de l'activité économique, il n'a pas été vraiment affecté en raison de la persistance de l'écart entre la demande et l'offre de logements, surtout dans la capitale et les grandes villes. Les primo-accédants ont toujours autant de difficultés à devenir propriétaires. Et l'arrêt de la spéculation folle des années ayant précédé le référendum a été une bonne chose.

La faiblesse de la livre sterling depuis le verdict des urnes a favorisé les exportations sans provoquer de flambée inflationniste due au renchérissement des importations. La dépréciation de la devise nationale a tout naturellement dopé les ventes à l'étranger des entreprises qui ont su tirer profit d'une conjoncture mondiale meilleure qu'anticipé.

La progression du salaire moyen a été moins forte que prévu mais constante. Le pouvoir d'achat a évolué pianissimo.

Par ailleurs, le Royaume-Uni est avec l'Allemagne, les Pays-Bas et la Pologne l'un des rares pays européens pouvant se targuer de connaître le plein-emploi. En

---

1. Le G7 est le groupe de discussion et de partenariat économique regroupant en fait les huit plus grandes puissances économiques du monde : États-Unis, Japon, Allemagne, France, Royaume-Uni, Italie et Canada. La Russie est suspendue depuis 2014.

dépit du Brexit, la flexibilité du marché du travail, la réduction du pouvoir syndical et la refonte des aides sociales en vue de favoriser le retour des sans-emploi au travail ont permis de garantir un taux de chômage nul en termes réels.

Même la productivité, le point noir de l'économie britannique, s'est améliorée. « Même s'ils sont précaires, l'économie britannique sait créer des emplois non ou peu qualifiés facilement accessibles aux jeunes », reconnaît John Springford, directeur de recherche économique auprès du Centre for European Reform, un *think tank* europhile.

Le déficit budgétaire s'est contracté. Le Royaume-Uni est parvenu à ralentir le ratio de sa dette en pourcentage du PIB, ce qui était impératif. Les finances publiques s'améliorent d'année en année, une embellie mesurée par le déficit budgétaire le plus bas depuis dix ans. La baisse est due à la poursuite, mais sur un mode moins draconien, de la politique d'austérité.

Même si elle sera réduite par les compensations de la perte des fonds structurels de l'UE, l'économie faite sur la contribution nette permettra de neutraliser, en partie, l'effet de la diminution attendue des rentrées fiscales. La baisse de l'impôt, notamment sur les sociétés, doit permettre au Royaume-Uni d'attirer des multinationales et des grosses fortunes.

N'en déplaise aux critiques, je suis un libéral qui a toujours respecté la libre entreprise. Mais même si, depuis la crise financière de 2008, je suis un « libéral qui doute », un prosélyte du capitalisme qui s'interroge, la philosophie des *brexiters* n'a rien d'absurde, contrairement à ce qu'affirme le camp d'en face.

162

À les écouter, l'équilibre budgétaire se fera par une augmentation des recettes provenant d'une croissance plus élevée grâce au libre échange, à la faible taxation, à une réglementation minimale de l'économie et de la finance ainsi qu'à une réduction des dépenses publiques.

Les *remainers* ont eu tort dans un autre domaine, la réaction des investisseurs étrangers à la victoire du Brexit.

Utilisant le Royaume-Uni comme tremplin vers le marché européen, les industriels américains et asiatiques n'ont pas décampé vers les cieux prétendument plus cléments du Vieux Continent. Les investisseurs français, allemands ou italiens sont aussi restés sur place. Le déficit d'attractivité ne s'est pas produit, loin de là, même si certains projets d'expansion ont été gelés en raison de l'incertitude entourant les conditions du Brexit.

C'est notamment le cas des Japonais et des Coréens dont l'engouement pour le Royaume-Uni est d'ordre psychologique. Les cadres sont très conservateurs et c'est outre-Manche qu'ils se sentent le moins dépaysés en Europe. La langue anglaise est obligatoire dans les lycées des deux pays. Les syndicats britanniques ont accueilli à bras ouverts les expatriés de multinationales asiatiques qui bouleversent les relations de travail hiérarchiques en prenant par exemple les repas à la cantine au côté du personnel ou en partageant les mêmes places de parking. Les managers japonais partagent avec leurs collègues locaux la prudence en affaires, l'état d'esprit collectif ainsi que le respect des usages.

Qualitativement, les investissements nippons comme coréens sont très importants en raison des transferts de technologie, de l'introduction de nouvelles techniques de management et de l'accent mis sur la formation professionnelle.

En outre, l'attrait imbattable du droit jurisprudentiel anglais plaît aux investisseurs étrangers. Appliquée avec équanimité par les tribunaux, la *common law*, qui règle le business international, est un atout imparable. Issus du même moule, juges et avocats se comprennent. Le droit anglais, qui part d'un point de détail pour arriver à une conclusion générale, est plus pragmatique que le droit français ou allemand.

Enfin, la corruption est moins prégnante que dans l'Union européenne.

C'est pourquoi l'économie britannique a un grand avantage compétitif. À lire le classement du World Economic Forum[1], le Royaume-Uni se situe au 8ᵉ rang sur 137 – devant la France mais juste derrière l'Allemagne, les Pays-Bas et la Suède.

Le rapport très optimiste du forum de Davos met l'accent sur ses atouts spécifiques, outre la libéralisation du marché du travail : l'encouragement à l'innovation et à la haute technologie, la protection des brevets, l'indépendance de la justice, la protection des investisseurs étrangers et la qualité de la recherche et des écoles de commerce. Ces avantages perdureront après la sortie de l'Union européenne.

Les économistes font aujourd'hui la différence entre les investissements « tangibles » et « intangibles ». Les premiers sont les investissements industriels classiques comme les usines, les immeubles de bureaux ou les équipements. Les investissements en capital des entre-

---

1. « The Global Competitiveness Report 2017-2018 », publié le 27 septembre 2017.

prises britanniques tournées vers le marché intérieur restent insuffisants par rapport à l'effort entrepris par les concurrents allemands ou italiens. Et alors ? Les investisseurs compenseront largement cette lacune.

En revanche, le Royaume-Uni est largement en tête des seconds, la high-tech, les data, la recherche, les loisirs, etc. Or les « intangibles » sont la clé de la croissance de demain[1]. Cette prééminence des « intangibles » devrait aussi permettre de rééquilibrer une économie britannique qui reste trop dépendante du secteur financier.

À une époque où chaque pays européen doit forger son avenir face aux défis de l'intelligence artificielle, de la robotique ou de la montée du protectionnisme, le Brexit a contraint le Royaume-Uni à adopter une approche volontariste. En comparaison, malgré la prééminence des Pays-Bas et de la Finlande dans les « intangibles », bon nombre de pays de l'UE sont réticents à procéder aux réformes nécessaires en vue de faire face à la transformation rapide et brutale du paysage économique.

Sur le plan monétaire, on est à des années-lumière des contraintes de l'UE (sans parler de la France) où les règles du jeu économique changent sans cesse, au bon vouloir de la Commission européenne et de Bercy.

Le Royaume-Uni est resté en dehors de la zone euro. Grâce à cette exemption, la Banque d'Angleterre est maître de la politique monétaire. La banque centrale de Threadneedle Street peut recourir à sa guise à l'arme du loyer de l'argent pour rassurer les marchés.

---

1. Jonathan Haskel et Stian Westlake, *Capitalism Without Capital : The Rise of the Intangible Economy*, 2017.

Malgré les inconnues du Brexit, le Trésor a pu continuer à emprunter à des conditions très favorables, limitant ainsi une charge de la dette publique qui est dorénavant plus que supportable.

Même si le dollar et l'euro contrôlent 90 % des transactions mondiales de change, la livre sterling reste une monnaie de réserve internationale de poids. Ce statut présente deux avantages : permettre plus facilement de trouver des investisseurs internationaux pour financer ses déficits, et éviter le risque de change sur les transactions libellées dans sa propre monnaie.

En outre, en dépit du repli impérial, les pays du Commonwealth continuent d'utiliser l'héritière de l'ancienne *libra* romaine. La monnaie à l'effigie d'Elizabeth II ne peut que tirer avantage du développement attendu du commerce entre l'ancienne puissance impériale et ses ex-dominions et colonies.

Dernier bienfait et non des moindres, dès le début de la période de transition qui commence le 29 mars 2019 et doit se terminer le 31 décembre 2020, le Royaume-Uni pourra conclure des accords commerciaux bilatéraux sur mesure en réorientant ses exportations vers des pays émergents à forte croissance, sans les contraintes douanières de l'UE.

Pro-Brexit aujourd'hui après avoir voté *remain*, David Marsh, ancien banquier de la City, qui préside le consultant Official Monetary and Financial Institutions Forum, est favorable à une politique commerciale indépendante. « La raison tient à la difficulté de l'Union européenne de négocier de tels acords de manière rapide et simple, en particulier dans le domaine des services, notamment financiers. Bruxelles s'intéresse en priorité à la libre circulations des biens et des personnes. »

Malgré l'épée de Damoclès du Brexit, le royaume d'Elizabeth II est parvenu à associer plein-emploi et croissance honnête.

Déprimés par des taux de chômage substantiels, en particulier des jeunes, les pays du sud de l'UE regardent avec envie la bonne performance de l'économie britannique. Comme le souligne l'économiste pro-Brexit Roger Bootle, « en comparaison avec le Royaume-Uni, en dépit de l'amélioration de la conjoncture dans la zone euro, l'économie des Vingt-Sept avance à tâtons ».

L'économie britannique a bénéficié du facteur chance qui l'a aidée à absorber l'onde de choc du Brexit. Car Albion a su tirer profit du retour à la croissance de la zone euro. Or les 19 pays membres de l'Union économique et monétaire sont le premier partenaire commercial du royaume et le resteront. Les destins mutuels sont totalement entremêlés.

C'est pour cette raison que la City soutient avec enthousiasme le projet de réforme de la monnaie unique proposé par le président Macron. En effet, quand la zone euro s'enrhume, le Royaume-Uni est concerné au premier chef. Dommage qu'il n'y ait pas grande appétence aujourd'hui dans l'Union pour un vrai budget et une réelle gouvernance de la zone euro que propose l'hôte de l'Élysée. Londres a tout intérêt à ce que le plan Macron réussisse.

Dans la nouvelle configuration du Brexit, à quoi ressemblera le Royaume-Uni à la fin 2020 lorsqu'il lèvera définitivement l'ancre ?

Le scénario le plus probable est celui d'un royaume qui deviendra l'équivalent pour l'Europe de ce qu'est le Canada pour les États-Unis. Et ce n'est pas un ami du Brexit qui l'estime mais le célèbre chroniqueur du *Financial Times*, Martin Wolf[1]. Ce pro-Européen convaincu affirme que lorsque la situation du Royaume-Uni avec ses partenaires européens sera réglée, le royaume sera à l'image de son ancien dominion, « une démocratie centriste qui aura une influence planétaire modestement positive ». L'erreur de Wolf est toutefois de considérer que dans pareil scénario, le Royaume-Uni sera vassal de l'Union européenne comme le Canada l'est, à le lire, des États-Unis. Ottawa mène sa propre politique économique, indépendamment de Washington.

Outre l'attachement au libre échange commercial, l'ex-puissance tutélaire partage avec le pays à la feuille d'érable bien des points communs : un libéralisme économique mesuré que contrebalance un État-providence réduit au minimum, une société multiculturelle dynamique qui fonctionne parallèlement à un système migratoire non discriminatoire fondé sur le permis « à points ». Liées par la défense dans le cadre de l'OTAN, les deux nations sont membres du Commonwealth.

Le Canada est le pays dont les sujets de Sa Majesté se sentent le plus proche. La reine Elizabeth II est toujours chef de l'État d'un pays qu'elle aime profondément.

Angleterre-Canada : il ne reste plus à la souveraine qu'à écrire au bas du traité la formule en vieux français, « La reyne le veult », suivie de sa signature en lettres rondes.

---

1. « Britain Road to Becoming the EU's Canada », *Financial Times*, 20 février 2018.

12.

Brexit plus export

Elizabeth II est une personnalité réservée, timide et distante, qui déteste se livrer en public. Mais au fil des ans, la Reine a appris à se prêter aux projecteurs de l'actualité. Elle saisit tout de suite les mouvements de caméras et les angles. Le monarque sait que l'existence même de la monarchie dépend de son image publique.

C'est ainsi que la Reine, âgée alors de 86 ans, a accepté de participer au côté de l'acteur Daniel Craig, l'interprète de James Bond, à un court-métrage diffusé lors de la cérémonie d'ouverture des Jeux olympiques de Londres, le 27 juillet 2012.

La souveraine n'avait prononcé que quatre mots, « *Good evening, Mr Bond* », avant d'abandonner ses chiens corgis sur le parvis de Buckingham Palace et de monter en hélicoptère avec le plus célèbre de ses espions à ses côtés. Le film s'était achevé sur un saut en parachute d'un cascadeur vêtu comme la Reine au-dessus du stade olympique. Elle s'était déclarée « ravie » de ses débuts au cinéma !

Lors de la cérémonie, le metteur en scène, Danny Boyle, avait recréé les grands épisodes de l'histoire économique du Royaume-Uni : la « *Merry England* »

169

agraire, la révolution industrielle et l'épopée maritime de l'empire. D'Egbert de Wessex à Elizabeth II, la royauté soude ces trois maillons de la chaîne britannique à travers les âges.

Sur l'étendue d'herbe du stade olympique, Boyle avait représenté le premier jardin cher au peuple britannique nourri de la Bible. Un vaste pré en fleurs, des veaux, vaches, poulets et moutons et une chaumière au toit fumant illustraient l'idéal de la campagne anglaise, les valeurs simples, la vie en plein air et la frugalité.

C'était bien vu.

Les Britanniques ont noué des liens intimes et singuliers avec la nature. Peintres, romanciers et réalisateurs de télévision et de cinéma ont immortalisé ces prairies immenses tachetées de moutons et de chevaux, les demeures patriciennes et les jardins anglais qui respirent tradition et civilité et sollicitent l'imaginaire. Le public n'en finit plus de se mobiliser pour le bien-être des animaux, la protection de l'environnement et des beautés du patrimoine. C'est une sorte d'idéal.

Changement de décor : fumées d'usine, marée d'hommes, de femmes et d'enfants besogneux courbant le dos sous le joug, coulées d'acier et bruit infernal des machines à tisser envahissent le stade. Le « vert paradis » cher à Milton disparaît sous les coups de la révolution industrielle. Comme l'écrivit André Maurois dans son *Histoire d'Angleterre* : « À la belle race anglaise bien nourrie dans ses campagnes a succédé un pâle prolétariat urbain. »

Danny Boyle avait appelé son spectacle *Isles of Wonder* (*Les Îles merveilleuses*), nom tiré du chef-d'œuvre de Shakespeare, *La Tempête*. Le troisième acte du show s'ouvre sur un naufrage. C'était un clin d'œil à l'épopée maritime fantastique d'une petite île gouvernant un empire englobant un tiers des terres émergées au XIXe siècle.

En souvenir de cette mémorable soirée à laquelle j'avais assisté, j'ai choisi les trois secteurs chers à Danny Boyle – l'agriculture, l'automobile et le transport maritime – pour appuyer mon argumentation selon laquelle l'économie britannique saura non seulement répondre au défi du Brexit mais en tirer avantage.

L'une des grandes surprises du référendum a été le soutien du monde paysan à la sortie de l'Union européenne.

Bien sûr, la campagne anglaise est un milieu traditionnel, patriote, rétif aux influences extérieures et, dès lors, très sensible à la rhétorique du camp du *leave* sur le contrôle de l'immigration et la protection de l'identité nationale.

C'est aussi un secteur économique bien plus important que la part, à première vue insignifiante, de l'agriculture dans le produit national brut : moins de 1 %. À « cet autre Éden, ce demi-paradis » cher à Shakespeare est arrimée une industrie agroalimentaire puissante et ultramoderne très bien implantée à l'étranger, particulièrement dans les pays émergents. Le malt whisky, le gin, la liqueur Baileys et la Guinness (propriétés du groupe britannique Diageo), les biscuits, le thé Fortnum & Mason ou la sauce Worcestershire font un malheur à l'exportation.

Depuis 1973, le sort du secteur agricole a été étroitement lié à l'Union européenne par le truchement des subventions de la politique agricole commune (PAC). Les barèmes communautaires fournissent plus de la moitié du revenu moyen des 180 000 paysans d'outre-Manche.

En outre, l'Union européenne absorbe les deux tiers des exportations de produits alimentaires d'Albion qui pourraient être frappés de droits de douane ou de nouvelles spécifications sanitaires. De plus, sans l'appoint de la main-d'œuvre des pays d'Europe orientale, les récoltes de fruits et légumes dans l'est et le nord du royaume ne pourraient plus être assurées.

Pourtant, la PAC n'a jamais été populaire auprès des syndicats paysans comme des milieux politiques de tous horizons. Des nombreuses surprises provoquées par le Brexit, la moindre n'aura pas été d'avoir réuni dans la critique de la politique agricole commune la gauche et la droite britanniques.

« Le système européen est devenu plus bureaucratique. Les inspections de Bruxelles opérées par des agents britanniques terrorisaient les agriculteurs », explique Meurig Raymond, ancien président de la National Farmers Union, la fédération nationale des syndicats d'exploitants agricoles.

La gauche critique les aides réparties en fonction de la surface des terres cultivées par chaque exploitant. Le mode de calcul a pour effet de favoriser les grands domaines par rapport aux petites et moyennes exploitations. Ainsi, la reine Elizabeth II, le prince Charles, une flopée de ducs, de grands industriels et d'éleveurs de chevaux proche-orientaux sont propriétaires d'immenses territoires. Ils monopolisent une part importante des versements de Bruxelles.

De son côté, la droite considère la PAC comme un vaste gâchis des deniers publics qui revient pour le contribuable britannique à subventionner les exploitations inefficaces du sud de l'Europe. Prisonnière des schémas du passé, la Commission européenne est aussi accusée d'avoir empêché la diversification de l'activité au-delà du quatuor bœufs, moutons, produits laitiers et betteraves sucrières.

Après le Brexit, l'État britannique s'est engagé à prendre en charge les subventions de la PAC au moins jusqu'en 2022.

Le gouvernement entend profiter de ce bouleversement pour changer le modèle économique de l'agriculture britannique. Les efforts en faveur de la protection de la nature, de la biodiversité, de la qualité de l'eau, du recours aux technologies innovantes et de l'accès aux randonneurs figureront en tête des critères de calcul des subventions à venir.

Par ailleurs, après quatre décennies de protectionnisme européen, la liberté retrouvée doit permettre au secteur de mieux tirer profit de la mondialisation.

Pour ce faire, le Royaume-Uni pourrait s'inspirer de l'exemple néo-zélandais. L'expérience d'une nation de 4,7 millions d'habitants, perdue au bout du monde, à très faible densité urbaine et géographiquement proche de ses principaux marchés d'exportation n'est assurément pas totalement adaptée à une grande nation européenne à forte densité démographique. L'agriculture britannique peut néanmoins tirer des leçons de ce modèle en vue de se rebâtir sur des bases économiques plus saines et en utilisant des méthodes à haute technicité.

D'un secteur léthargique soutenu à bout de bras par les pouvoirs publics, l'agriculture de l'archipel océanien s'est transformée en un exportateur planétaire performant. Au début des années 1980, au seuil de la banqueroute provoquée par une extension considérable du secteur public et d'un État-providence dispendieux, le gouvernement travailliste néo-zélandais avait mené au forceps une réorganisation libérale complète des structures économiques.

Les privatisations, la diminution des droits de douane et de l'impôt sur le revenu étaient allés de pair avec la baisse brutale des subventions agricoles, permettant ainsi de faire table rase d'un passé étatisé. Les exportations de produits laitiers et de viande avaient été redéployées vers l'Asie et le Pacifique voisins. La création d'une industrie vinicole d'excellence et le développement d'un tourisme haut de gamme datent de cette époque.

En fait, il est trop tôt pour se prononcer sur le futur modèle de l'agriculture britannique. Certains prônent davantage d'autosuffisance, synonyme de haute technicité, et d'autres la spécialisation à grande valeur ajoutée.

Le sort de l'agriculture va de pair avec celui de la pêche.

La pêche est un secteur totem pour les îles Britanniques dont les eaux sont parmi les plus poissonneuses d'Europe. Les professionnels considèrent qu'ils sont défavorisés par les règles européennes dont profitent les chalutiers étrangers. Environ 20 % de la pêche française se fait dans les eaux britanniques, mais ce chiffre monte à 80 % pour les ports de Bretagne, de la Manche et de la mer du Nord.

« We want our fish back » (« Nous voulons récupérer notre poisson ») : drapés dans ce slogan, les pêcheurs britanniques ont plébiscité le départ de l'UE.

La reprise du contrôle de l'immense espace maritime entourant le pays va favoriser la relance d'une activité

qui a souffert de l'imposition de quotas par Bruxelles.
Londres a toutes les cartes en main. C'est pourquoi,
en raison du faible poids économique de cette activité,
qui ne représente que 0,5 % du produit intérieur brut,
ses négociateurs utilisent la pêche comme monnaie
d'échange en vue d'obtenir des concessions dans des
secteurs plus stratégiques comme l'aviation, les services
financiers ou la pharmacie.

L'automobile est un autre exemple d'un secteur très
intégré qui ne manquera pas de souffrir à court terme
du départ probable du marché unique et de l'union
douanière. Plus de 80 % de sa production est exportée
dans l'Union européenne.

Les constructeurs britanniques broient du noir devant
la menace post-Brexit d'imposition par Bruxelles de
droits de douane ou de normes spécifiques ainsi qu'un
alourdissement des procédures administratives qui ren-
chériraient le prix de revient. Les équipements d'une
Land Rover Discovery, produite sous l'égide de l'indien
Tata Motors dans l'usine de Solihull (Midlands), sont
originaires de six pays de l'UE. Moins d'un tiers des
pièces détachées du 4 × 4 tout-terrain, chouchou des
baroudeurs chics, sont fabriquées au Royaume-Uni.
La plupart des composants proviennent de l'Union
européenne.

L'industrie automobile est l'un des fleurons rescapés
du reflux industriel. Aujourd'hui, l'ensemble du secteur
manufacturier britannique ne représente plus que 10 %
du PIB (contre 19 % pour l'Union européenne).

Au cours de ces vingt dernières années, l'automobile
anglaise a connu une véritable renaissance. Moribond
dans les années 1980, cet ambassadeur du confort, du

goût et de la puissance créatrice a retrouvé une seconde jeunesse. Née à la fin du siècle dernier dans les Midlands, l'industrie automobile était devenue le symbole du « mal anglais » durant les années 1960-1970. Parler des « difficultés » de cette industrie était un euphémisme. Les constructeurs nationaux avaient disparu les uns après les autres sous les coups conjugués du manque d'investissements dans la recherche de nouveaux modèles et dans l'amélioration de la qualité des véhicules ainsi que des grèves à répétition. Les enseignes en déroute n'avaient pu affronter la vive concurrence américaine, européenne et japonaise. En 2005, la faillite de MG Rover (l'ancienne British Leyland), dernier constructeur britannique d'importance, a marqué la consécration des investisseurs étrangers.

Aujourd'hui, l'automobile *made in England* a retrouvé son heure de gloire grâce aux énormes investissements des groupes américains, japonais, coréens, français ou allemands.

Un vaste centre de fabrication et de montage de véhicules destinés essentiellement à l'exportation s'est bâti sur les décombres de l'industrie automobile britannique. Les usines anglaises de nos jours sont parmi les plus productives du monde. Les plus reconnues sont Nissan, basée à Sunderland, et Toyota, dans le Derbyshire.

En outre, le Brexit offre à l'industrie automobile l'occasion de se réinventer.

La nouvelle politique industrielle lancée en novembre 2017 par le gouvernement de Theresa May devrait permettre par exemple de rebâtir, moyennant subventions, une industrie britannique de pièces détachées afin de réduire sa dépendance aux importations de l'UE.

Tous les grands fournisseurs sont passés sous contrôle étranger. Mais Albion peut tabler sur son formidable héritage de la fabrication d'équipements automobiles et de pièces de rechange ainsi que sur une politique de recherche dynamique. Le potentiel existe.

Si l'industrie automobile est très vulnérable aux retombées d'un mauvais Brexit avec l'essentiel de sa production exportée à destination de l'UE, l'Allemagne ne voudra pas se priver de son premier marché d'exportation. Les Vingt-Sept vendent plus de véhicules au Royaume-Uni que l'inverse. Le marché britannique n'est pas négligeable, loin de là.

Le secteur connaît, par ailleurs, un changement structurel d'envergure. Tous les constructeurs doivent se repositionner face à la robotique, la fin du diesel, les véhicules électriques ou à pilotage automatique. Dans cette bataille, le Royaume-Uni conserve deux atouts technologiques : la productivité de ses chaînes de montage et son savoir-faire dans les moteurs. La flexibilité de la main-d'œuvre doit faciliter l'adaptation de l'outil de production aux transformations technologiques, comme l'intelligence artificielle et l'automation.

Parallèlement, le secteur peut exploiter davantage ses « niches » de marché où son ingénierie et sa maestria excellent. C'est le cas des voitures à forte valeur ajoutée comme les véhicules de luxe, à l'image du mythe toujours vivant de la Rolls-Royce, au demeurant passée sous la bannière BMW.

De surcroît, le pays compte le plus grand nombre de constructeurs de voitures de sport : Aston Martin, Bentley, Jaguar ou Lotus par exemple. Enfin, le Royaume-Uni demeure un pôle de qualité dans le secteur à haute visibilité et à fort effet d'entraînement qu'est la Formule 1.

177

La plupart des plus illustres écuries ont leur siège outre-Manche au sein d'une poignée de pôles situés autour de la région de Londres et dans l'Oxfordshire, à proximité du circuit de Silverstone. Les Williams, Red Bull ou McLaren, vivier de spécialistes, ont mis en place une infrastructure complète pour faire passer les concepts du laboratoire à la production. Les succès sur les circuits des stars de la F1 – les Lewis Hamilton, Jenson Button ou Damon Hill pour ne citer que les plus récents champions du monde – bombardent sur les écrans à grands jets de chromos la renommée de la *Formula One* britannique.

Les fondements de la future prospérité sont solides. La preuve, les bonnes nouvelles s'accumulent. Nissan, BMW, Toyota et Vauxhall se sont engagés à augmenter leurs capacités de production sur place.

Si l'agriculture et l'automobile entendent résister au contrecoup du Brexit, le secteur des services non financiers ne demeure pas les bras croisés face au défi.

C'est le cas du transport maritime au sein duquel il faut distinguer les ferries de l'industrie planétaire du *shipping* basé à Londres.

A priori, l'impact du Brexit pourrait être substantiel sur le créneau des car-ferries (« *roll on, roll off* » ou rouliers) utilisés pour transporter véhicules et fret via des rampes d'accès mobiles.

L'essor de ce secteur est étroitement lié à l'appartenance au marché unique et à la libre circulation des biens et des personnes en vigueur dans l'UE.

Aujourd'hui 40 % des biens exportés du Royaume-Uni ou importés utilisent ce mode de transport. Ce secteur risque d'être affecté dans tous les domaines, la liberté des échanges, la sûreté et l'environnement, les impôts ou le droit au travail en raison de possibles perturbations douanières.

Le port de ferries de Douvres est la plaque tournante des transports en direction du continent. La petite ville du Kent fait face à la France dans la partie la plus étroite de la Manche. Par ce minuscule *channel* de 30 kilomètres d'eau transitent, dans les deux sens, des milliers de navires commerciaux et de ferries, record mondial en densité de navigation.

Imaginez le chaos provoqué par l'absence d'accord final entre le Royaume-Uni et l'Union européenne !

En passant immédiatement sous l'égide de l'Organisation mondiale du commerce, les exportations vers les Vingt-Sept seraient lourdement taxées : 10 % sur les automobiles, entre 20 et 40 % sur les produits agricoles. La paperasserie administrative est plus lourde qu'une enclume : il n'y a pas moins de 54 cases à cocher pour chaque marchandise à destination de l'UE. Les médicaments seraient bloqués pour être soumis à des tests de sécurité à la suite du retrait du Royaume-Uni de l'agence européenne en charge.

Les limites des capacités d'entreposage portuaires du Kent créeraient l'engorgement des marchandises exportées par les 130 000 sociétés britanniques commerçant avec l'UE. Les queues à l'immigration seraient interminables à cause des nouveaux contrôles sur les touristes et sur les ressortissants européens vivant au Royaume-Uni. Des files de camions et d'autobus bloqueraient les autoroutes menant aux ports de la côte sud en attendant de satisfaire aux inspections des douanes britanniques.

LE BREXIT VA RÉUSSIR

Ce scénario catastrophe, tous les États riverains veulent l'éviter à tout prix. C'est pourquoi il est inévitable qu'un accord entre le Royaume-Uni d'une part, la France, la Belgique et les Pays-Bas d'autre part, soit conclu afin de ne pas pénaliser la circulation transmanche à l'issue du Brexit.

Malgré les nuages qui assombrissent l'avenir du transport maritime britannique, Guy Platten, directeur général de la UK Chamber of Shipping, la chambre professionnelle, reste confiant : « Notre activité est planétaire. Le *shipping* dispose de sa propre dynamique liée à l'expansion du commerce international et à la croissance mondiale. De surcroît, le dollar, et non pas l'euro ou la livre sterling, sert de devise de référence. »

Les professionnels du transport maritime sont formels : le système de la libre entreprise et du moindre État est le seul qui fonctionne et rend tout le monde plus riche. Aux yeux des armateurs, la disparition des contraintes imposées par l'UE dans le souci de la protection de l'environnement, de la réduction des émissions ou de la limitation des déchets constituerait un avantage de taille. Cette diminution des coûts ne peut qu'avantager un secteur au chiffre d'affaires très cyclique et aux marges bénéficiaires faibles.

Quel que soit l'accord final sur le Brexit, Londres restera le premier carrefour mondial des affaires maritimes en matière de financement, d'assurance, de courtage et d'affrètement de navires[1]. La présence des compagnies d'assurance, de la Bourse du Lloyds et du marché

---

1. L'industrie britannique du *shipping* compte 200 000 emplois directs et un million d'indirects. En 2017, le secteur a rapporté plus de 45 milliards d'euros à l'économie britannique.

mondial des frets ainsi que des banques spécialisées garantit l'avenir de cette plaque tournante du *shipping* mondial. Les armateurs danois, allemands, taïwanais, coréens, chinois ou grecs n'ont aucune intention de quitter le Royaume-Uni où ils bénéficient d'une fiscalité avantageuse. L'Organisation maritime internationale, une agence des Nations unies chargée d'émettre et de faire respecter les réglementations internationales, ne songe pas à déménager.

Plus Terrienne que sirène, Elizabeth II n'a jamais eu de vraie passion pour la mer. Pourtant, le point culminant de la célébration de son jubilé de diamant, le 3 juin 2012, avait été la parade de l'armada sur la Tamise qui avait réuni un millier d'embarcations et de bâtiments venus des quatre coins du monde.

À bord de la somptueuse barge royale rouge et or, *Gloriana*, flanquée de toute la famille royale, Sa Majesté avait passé en revue la noria de navires dans le cadre du plus grand spectacle public jamais organisé à Londres. Le choix d'un jubilé nautique s'imposait tout naturellement pour cette commémoration des soixante ans de son règne. En effet, comme le démontre le cortège naval, la royauté britannique s'identifie à la fois à la Tamise intérieure et au grand large.

En quittant l'UE, le Royaume-Uni redécouvre sa double appartenance, insulaire et mondiale. Les Britanniques sont un peuple né de la mer. Le royaume a 10 488 kilomètres de côtes et quelque 300 ports. Son essence est son littoral. Aucun point n'est à plus de 100 kilomètres de la mer. Son âme suinte vers ses régions côtières. La confiance en soi, l'absence d'occupation étrangère depuis 1066, la nécessité de disposer d'une flotte marchande et d'une marine de guerre pour projeter le royaume vers les océans découlent d'une situation géographique spécifique.

Le vieil hymne martial proclamant « *Rule Britannia, rule the waves* » – « Gouverne Angleterre, gouverne les vagues » – a toujours accompagné le lent *God Save the Queen*. Et ce tropisme a toujours transcendé l'appartenance européenne. Hier comme demain.

13.

Une vraie démocratie

Buckingham Palace, vendredi 24 juin, 8 heures. C'est aux accents stridents de la cornemuse d'un garde royal écossais, qui tous les matins joue sous les fenêtres des appartements privés, que débute la difficile journée d'Elizabeth II au lendemain de la victoire surprise du Brexit.

Toasts, marmelade d'oranges, céréales présentées dans un bol Tupperware, thé Darjeeling servi avec un nuage de lait provenant exclusivement des vaches jersiaises de son élevage de Windsor... Le couple royal mange silencieusement. On n'est jamais assez prudent devant le personnel.

Le petit déjeuner est interrompu par un appel de David Cameron qui annonce à la souveraine avoir décidé de quitter ses fonctions de Premier ministre dans les trois mois.

À 10 h 30, la souveraine reçoit son chef de gouvernement.

– *Good morning, Your Majesty.*

– *Good morning, Prime minister.*

David Cameron salue la Reine avec une légère inclinaison de la tête. Le Premier ministre est sonné par le résultat.

– Je suis désolé, Ma'am.

Devant le chef de l'État, David Cameron accepte toute la responsabilité pour la défaite de son camp. Le chef du gouvernement était certain de la victoire après avoir remporté haut la main le référendum sur l'indépendance de l'Écosse et ensuite les élections législatives. Il se mord les doigts d'avoir convoqué cette consultation dans l'espoir d'évacuer une fois pour toutes la fracture de l'adhésion à l'UE qui empoisonne la droite depuis des lustres. Le vote devait sceller la fin de cette guerre fratricide.

Elle l'aimait bien, pourtant, ce David Cameron, sans doute l'un de ses préférés parmi les treize Premiers ministres qu'elle a côtoyés. L'homme politique de centre droit, suave, fils de grand bourgeois, moulé au pensionnat d'Eton et à l'université d'Oxford, marié de surcroît à une aristocrate descendante (en ligne illégitime) du roi Charles II, c'est son monde. La Reine appréciait la désinvolture aristocratique, la jovialité, le fait de ne jamais se prendre au sérieux conjugué au dévouement à la cause publique.

– Je vous remercie de votre action. Je vous souhaite bonne chance. N'oubliez pas de saluer Samantha et les enfants.

Le Premier ministre sort à reculons en remarquant l'air préoccupé de la souveraine.

Durant la campagne, jamais le chef de l'État n'a joué un autre rôle que celui de sa fonction en s'en tenant strictement aux pouvoirs définis par le journaliste Walter Bagehot dans son ouvrage clé, *La Constitution anglaise* : « Formuler des avertissements, donner des encouragements et des conseils. » Tout au plus aurait-elle confié au vice-Premier ministre libéral-démocrate Nick Clegg que l'Union européenne la mettait « mal à l'aise ».

Le tabloïd eurosceptique *The Sun* avait saisi la balle au bond en titrant sur le soutien supposé du monarque au camp du départ : « La Reine soutient le Brexit » (« *Queen Backs Brexit !* »). Le palais avait démenti, porté plainte auprès du régulateur de la presse écrite et obtenu gain de cause. En vain. Les esprits avaient été profondément marqués par la prétendue confidence eurosceptique d'Elizabeth II.

Le traumatisme infligé lors du référendum à la nonagénaire de fraîche date est profond car c'est la cohésion du royaume qui est menacée aujourd'hui. En effet, le Brexit a été la résultante d'une flambée de populisme en Angleterre même.

Le populisme anglais a profité d'un terreau propice. Ouvriers et employés ont été touchés de plein fouet par le changement technologique qui a fait voler en éclats la sécurité de l'emploi. L'avancée très rapide des droits des minorités raciales et sexuelles a heurté le conservatisme des habitants des petites villes et des campagnes fortement attachés au terroir. Aussi, l'économie des services et du savoir liée à la mondialisation a alimenté une spirale inégalitaire bien plus forte qu'ailleurs en Europe. Quant aux effets du terrorisme et de la peur de l'islam, ils ont fragilisé la cohésion de la société multiculturelle d'un pays qui compte 3 millions de musulmans.

Orateur préféré des nostalgiques de l'Angleterre d'antan, blanche, anglo-saxonne et chrétienne, Nigel Farage incarne parfaitement ce populisme. Rigolard, un don de comique troupier, une extraordinaire mobilité dans l'expression : l'ancien banquier qui avait présidé l'United Kingdom Independent Party (UKIP) entre 1999 et 2016 est un acteur-né.

Après le référendum, le tribun s'est transféré aux États-Unis où il a monnayé sa proximité avec le président Donald Trump et avec Steve Bannon, porte-drapeau de l'extrême droite américaine. Fox News, la chaîne conservatrice du magnat Rupert Murdoch, l'a chargé d'une chronique sur le Brexit.

Le départ aux États-Unis était la seule option possible pour Farage. En effet, l'UKIP a été rayé de la carte électorale. Ce n'est pas le moindre paradoxe. Enfant du populisme, le Brexit a tué le populisme. « Le Brexit a privé l'UKIP de sa raison d'être, et tant mieux », souligne Alan Sked. Ce professeur émérite de la London School of Economics avait fondé l'UKIP en 1993 aux côtés des membres d'un groupement anti-européen, la Ligue antifédéraliste, viscéralement hostile au traité de Maastricht. Quatre ans plus tard, il avait démissionné avec fracas, accusant Farage de n'être qu'un « raciste imbécile ».

À l'instar du soutien au Brexit, le vote UKIP était à la fois populaire et bourgeois. Le parti recrutait ses partisans chez les ouvriers et petits employés des Midlands, du nord de l'Angleterre et des stations balnéaires de la côte sud en situation de précarité. Parallèlement, la formation xénophobe avait recueilli les suffrages d'une partie de la classe moyenne de province, nostalgique de la grandeur passée, qui se drapait dans la défense de la souveraineté nationale et dans l'hostilité à la société multiculturelle. Avant de virer leur cuti, les premiers votaient travailliste, les seconds conservateur.

Après le référendum, les deux grands partis traditionnels règnent à nouveau en maîtres sur la vie politique après avoir recueilli 83 % des voix lors des élections législatives du 8 juin 2017. Une équation difficile à imaginer dans les nombreux pays européens où prévaut la proportionnelle.

Ni les Tories ni le Labour n'ont voulu rouvrir les plaies de la division en réclamant un nouveau référendum. Eurosceptique de longue date, le leader travailliste, Jeremy Corbyn, s'est parfaitement accommodé du verdict des urnes pour ne pas heurter une grande partie de l'électorat traditionnel ouvrier de la gauche favorable à la sortie de l'UE. D'autant que les anti-Brexit britanniques qui militent en faveur d'une nouvelle consultation sont totalement déconsidérés. Ce sont des « *have been* », soucieux de rebondir à tout prix après leur éviction du pouvoir. C'est le cas de l'ancien Premier ministre travailliste, Tony Blair.

Blair est détesté du public en raison de sa cupidité et de ses liens avec les régimes autocratiques. Il a été totalement discrédité par ses mensonges lors de la guerre en Irak, en 2003. Sa campagne en faveur d'un nouveau référendum n'a eu aucun écho au Royaume-Uni, sauf auprès d'un grand nombre de correspondants européens basés à Londres obnubilés par le déraillement du Brexit.

Aujourd'hui, le génie populiste est rentré dans la bouteille. L'économie, le Service national de santé, l'éducation, la loi et l'ordre supplantent dorénavant le Brexit dans les préoccupations de l'électorat.

Le contraste est saisissant entre la mort du populisme outre-Manche et sa marche victorieuse sur le Vieux Continent. La démocratie est mise à mal en Hongrie, en Pologne, en Slovaquie, en République tchèque et en Roumanie sans que l'UE ne réagisse. En Allemagne, l'extrême droite est devenue l'opposition officielle à la

grande coalition dirigée par Angela Merkel. Les velléités d'indépendance de la Catalogne comportent une
part de populisme dans la mesure où cette province
riche rechigne à financer les régions espagnoles plus
pauvres. Les nationalistes partagent le pouvoir avec
la droite traditionnelle en Autriche et en Belgique.
En Italie, c'est pire : l'alliance Ligue et Mouvement
5 étoiles (M5S) est arrivée au pouvoir après les élections du 4 mars 2018. Après avoir longtemps demandé
un référendum sur la permanence dans la zone euro,
le M5S avait changé d'avis quelques semaines avant le
scrutin. La Ligue ne demandait plus de référendum
mais elle considère que la monnaie unique a ruiné
les Italiens et qu'elle va s'effondrer toute seule dans
tout le continent. Toutefois, la nomination de Paolo
Savona, un économiste anti-euro qui avait écrit un
plan pour conduire la péninsule hors de l'euro, avait
fait sursauter les chancelleries et la Commission. Le
déroutement de Savona au ministère des Politiques
européennes – « Un Dracula à la tête de la banque du
sang », a écrit un quotidien transalpin – n'a pas suffi
pour rassurer Bruxelles sur la sincérité de l'engagement
de Rome envers la monnaie unique.

En ce moment, l'Europe est vraiment au bord de
l'explosion.

Si un gros contingent de racistes opère au sein de
l'UKIP, le parti n'a jamais été associé à des courants ultras,
antimusulmans et antisémites virulents, qui prolifèrent
chez les Vingt-Sept. Jobic en Hongrie, le FN français,
le FPO autrichien, l'Aube dorée grecque ou le Vlaams
Belang belge n'ont jamais eu d'équivalent outre-Manche.
Les formations ouvertement d'extrême droite, comme

l'English Defence League et le British National Party, ont disparu de la scène du jour au lendemain, faute de soutiens. S'il y a une poussée marquée de l'antisémitisme, elle est aujourd'hui le fait de la gauche radicale et antisioniste au sein du Parti travailliste.

Auteur de l'*Histoire des passions françaises*, Théodore Zeldin affirme qu'il ne faut pas tenir compte du bulletin de vote dans une décision d'une telle importance. Après tout, dit-il, en raison de l'abstention, seulement 37 % du corps électoral et non pas 52 % ont voté en faveur du Brexit. Le résultat ne serait donc pas valide. Le plaidoyer *pro domo* du professeur émérite de l'université d'Oxford est sans fondement. Au contraire, au Royaume-Uni, la volonté du peuple est respectée. C'est une vraie démocratie.

Comme l'explique l'historien pro-*leave* Robert Tombs, « le vote en faveur du Brexit et ses retombées sont fondamentalement un vote de confiance dans les institutions démocratiques nationales ». La solidité du triptyque gouvernement-Parlement-monarchie et l'existence de contre-pouvoirs efficaces ont permis au Royaume-Uni de répondre avec succès au plus grand bouleversement constitutionnel de son histoire contemporaine.

Albion peut être fière de ne pas avoir fait subir à ses électeurs le sort réservé à ceux de l'Eire en 2002. Après le double refus du traité de Nice et de celui de Lisbonne, les Irlandais avaient été priés par Bruxelles de revoter, mais cette fois dans la bonne direction. Sans parler de la France qui a tout simplement ignoré le « non » au projet de traité constitutionnel lors du référendum de 2005.

Certes, la démocratie britannique n'est pas parfaite, loin de là. Le système électoral uninominal à un tour élimine les nouvelles formations comme l'UKIP ou les Verts, quasi absents des bancs de Westminster. Non élue, la Chambre des lords, truffée de généreux donateurs liés aux partis, n'est qu'une assemblée de consultation. Nombreux furent les souverains poignardés, empoisonnés ou décapités. Les luttes politiques, sociales et religieuses ont été sanglantes. Le plus grand empire de tous les temps a été bâti sur la cupidité, l'orgueil, l'esclavage et la spoliation des populations indigènes.

Reste que la Chambre des communes est la vitrine du régime parlementaire occidental. Ses prérogatives sont bien plus étendues que celles des hémicycles du continent. Nul ne peut prétendre à de hautes fonctions gouvernementales s'il n'est pas député. La séance des questions aux ministres, le fameux *Question time*, représente l'essence de l'examen par le législatif des décisions de l'exécutif.

Les Britanniques sont très attachés à leur Parlement, fondé en 1215, et associé de près aux grands bouleversements de l'histoire du royaume. La bataille du Brexit en est la meilleure illustration. Ainsi, le 9 juin 2015, la Chambre des communes avait voté par 544 voix contre 53 en faveur de l'organisation du référendum sur la sortie de l'UE. Le gouvernement Cameron s'était formellement engagé à mettre en œuvre la décision de l'électorat quelle qu'elle soit. Revenir sur une telle promesse eût été tout simplement impensable. L'Assemblée, où les anti-Brexit sont pourtant largement majoritaires, aura d'ailleurs le dernier mot sur l'accord final de retrait.

À l'inverse, le Parlement européen n'a jamais été pris au sérieux au Royaume-Uni. Les députés européens sont élus à la proportionnelle. Ils n'ont de comptes à rendre à personne. Au Royaume-Uni, chaque vendredi, le Premier ministre doit se rendre dans sa circonscription pour répondre aux doléances de ses électeurs.

Député *brexiter* très à droite et sectaire, John Redwood n'est pas ma tasse de thé. Mais dans le contexte britannique, mon interlocuteur a raison lorsqu'il affirme que Bruxelles a violé l'ADN de la démocratie britannique en accaparant des pouvoirs de Westminster : « Le Parlement représente le peuple. S'il n'est pas content de ses représentants, le peuple s'en débarrasse lors des élections. Mais dans le cadre de l'UE, l'électorat britannique ne peut pas changer les lois contraires à ses intérêts. » Un jugement partagé par Robin Niblett, directeur du Royal Institute of International Affairs, plus connu sous le nom de Chatham House, pour qui « les Britanniques perçoivent l'Assemblée européenne comme une couche supplémentaire du pouvoir bureaucratique de l'UE ».

Il en est de même de la Cour européenne de justice. Forts de leur expérience, les juristes britanniques avaient activement participé à la création de ce qu'ils pensaient n'être qu'une cour d'arbitrage technique encadrant le marché unique. Mais, au fil des ans, la Cour a étendu ses prérogatives à la protection des travailleurs et de l'environnement ou aux droits de l'homme, des sujets hautement politiques relevant du Parlement de Westminster.

Souvenez-vous du cirque qu'avait été l'audition, le 15 juin 2011, de Mario Draghi par le Parlement européen en vue d'entériner sa nomination à la direction de la Banque centrale européenne (BCE). Seul l'eurodéputé vert Pascal Canfin avait eu le courage de l'interroger sur ses activités de banquier d'affaires chez Goldman Sachs.

191

Protégé par les lobbies des parlementaires italiens tout comme du PPE, le Parti populaire européen (droite), Draghi, la morgue en bandoulière, avait pu ignorer avec superbe les questions du Français[1].

Rien à voir avec l'interrogatoire implacable infligé le 25 février 2015 au patron de la banque HSBC, Stuart Gulliver, sur le scandale des « SwissLeaks » par la commission parlementaire britannique des comptes publics. La filiale suisse du conglomérat financier avait mis au point un système de fraude fiscale à grande échelle destiné aux grandes fortunes.

Sous un déluge de questions provenant de la droite comme de la gauche, le directeur général de la plus grosse banque du royaume avait été contraint d'expliquer pourquoi il avait encaissé son bonus sur un compte en Suisse généré par une société-fantôme basée au Panama. Il en était sorti KO[2].

La Chambre des communes représente la volonté populaire alors que la Commission européenne n'est soumise à aucun contrôle... Les hauts fonctionnaires bruxellois qui font tourner la machine de l'exécutif sont intouchables.

Le scandale Martin Selmyar[3] illustre jusqu'à la caricature les dysfonctionnements dans la gestion de l'Union européenne. Juncker a parachuté son directeur de cabinet au poste de secrétaire général de la Commission,

---

1. « Goldman Sachs – La banque qui dirige le monde », Arte, de Jérôme Fritel et Marc Roche, 2012.
2. « Les gangsters de la finance », Arte, de Jérôme Fritel et Marc Roche, 2017.
3. *Le Soir*, 27 mars 2018.

le plus haut poste administratif, à la barbe des autres commissaires et du Parlement européen. À Londres, un Premier ministre agissant de la sorte serait éliminé en vingt-quatre heures.

Le fonctionnement de la Banque centrale européenne est tout aussi autoritaire et opaque. L'institut de Francfort a délibérément violé le suffrage universel dans l'administration de la crise de l'euro. Ainsi, le 7 août 2011, le président de la BCE, Jean-Claude Trichet, a exigé et obtenu du président du Conseil espagnol, José Zapatero, que la Constitution espagnole soit modifiée pour limiter le déficit public. Trois mois plus tard, Francfort a obtenu le départ de Silvio Berlusconi, pourtant élu, pour le remplacer par un technocrate, Mario Monti, ancien commissaire européen. Auparavant, ce dernier avait fait partie du « gouvernement Goldman Sachs », le réseau d'influence souterrain sédimenté par la célèbre banque d'affaires américaine.

Autre exemple, l'ancien ministre grec des Finances, Yanis Varoufakis, a fait les frais des diktats de la « Troïka » (Commission, BCE et Fonds monétaire international), trois organes dépourvus de la moindre légitimité démocratique. Lors des négociations sur la dette grecque en 2015, cet économiste de renom a découvert le pouvoir d'une structure, l'Eurogroupe, la réunion mensuelle et informelle des ministres des Finances des États membres de la zone euro, dont l'Allemagne tire les ficelles[1]. La Grèce mise sous tutelle, ayant perdu sa souveraineté, a été contrainte d'appliquer les plans d'austérité imposés par ses créanciers.

---

1. *Adults in a Room : My Battle with Europe's Deep Establishment,* Bodley Head. Traduit en français sous le titre *Conversations entre adultes,* Les Liens qui libèrent, 2017.

Et voilà qu'aujourd'hui nos hiérarques de l'Union prédisent à l'unisson une catastrophe pour le Royaume-Uni ! À les entendre, le largage des amarres communautaires ne peut que faire éclater un pays profondément désuni.

Au premier abord, l'analyse est pertinente : alors que Londres, l'Écosse et l'Irlande du Nord ont voté pour rester dans l'UE, le reste de l'Angleterre et le pays de Galles se sont prononcés pour le départ. Mais dans les faits, le Brexit a recollé les morceaux de la Couronne.

La loi sur la régionalisation de 1999 a octroyé aux exécutifs régionaux des pouvoirs qui, en pratique, ont été exercés par Bruxelles. C'est le cas notamment de l'agriculture, de la pêche, des normes de sécurité alimentaire, de l'aviation, des déchets nucléaires... La plupart des 153 prérogatives communautaires qui seront progressivement rapatriées échoiront aux gouvernements en poste à Édimbourg, Cardiff et Belfast, qui sauront en disposer avec discernement.

L'Écosse, qui a massivement voté pour rester, ne s'est pas saisie du résultat du référendum pour relancer sa course à l'indépendance après le net refus de la séparation exprimé lors de la consultation de 2015. Tels des bourgeois de Calais se rendant la corde au cou aux envahisseurs anglais, les Écossais sont rentrés au bercail par peur de perdre les énormes subventions du gouvernement central. Avec le Brexit, les transferts de Londres seront encore plus importants pour la santé économique de la province. À l'exception du centre financier d'Édimbourg, l'Écosse est pauvre. L'indépendance n'est pas viable sur le plan économique.

Il en est de même du pays de Galles, trop heureux de profiter du cocon protecteur du Royaume-Uni. Le magnat anglo-indien de l'acier, Sanjeev Gupta, qui a sauvé la sidérurgie galloise, dernier témoin de l'industrie lourde qui fit la richesse des vertes vallées, a lui aussi voté en faveur du Brexit. Il a justifié son choix par la nécessité d'« encourager les entrepreneurs en ne leur mettant pas de bâtons dans les roues ». À ses yeux, le Brexit ne peut être que positif. La baisse de la livre sterling accroît ses profits à l'exportation. Les aides de l'État ne seront plus soumises à l'approbation de la Commission. Les restrictions communautaires de protection de l'environnement seront moins coercitives.

Pour le reste, à part le tourisme, le pays de Galles est maintenu sous oxygène par l'État central qui s'est engagé à compenser les aides des fonds structurels européens.

Pour sa part, l'Irlande du Nord a voté à 56 % pour rester dans l'Union européenne. Cette victoire est la résultante d'une coalition des catholiques (Irlandais de souche) et des protestants (descendants des colons anglais ou écossais) modérés.

En revanche, la principale formation protestante, le Democratic Unionist Party, est virulemment eurosceptique. Pour compliquer les choses, en raison de l'absence de majorité à Westminster, cette formation, dont l'électorat est formé de « petits Blancs » fidèles à la Couronne, tient le sort du gouvernement May entre ses mains. Quant à la République d'Irlande, elle est membre de l'UE et de la zone euro.

Dans une configuration qui n'est pas sans rappeler la quadrature du cercle, le sort de la frontière entre les

195

deux Irlandes est au cœur des négociations. L'accord de paix dit du Vendredi saint signé en 1998, dont l'Union européenne est l'un des protecteurs, a fait sauter la ligne de démarcation entre les deux parties de l'île, assurant la libre circulation des biens et des personnes. Londres, Dublin et Bruxelles veulent à tout prix éviter le retour d'une séparation visible qui serait catastrophique pour les économies totalement imbriquées de la République comme des six comtés du Nord.

Voir Belfast et mourir. Comme correspondant à Londres, j'avais couvert de près la guerre civile responsable de plus de 3 000 morts en trente ans. Outre les attentats meurtriers, j'en ai conservé deux souvenirs. L'indifférence des Anglais à ce qui passait « là-bas », et le fait que dans les six comtés, de par le paysage, la nature, l'accent, on est de plain-pied en Irlande et non pas en Angleterre, quoi qu'en disent les protestants.

Londres s'est engagée à organiser un référendum sur l'union à l'Eire si une majorité des Nord-Irlandais le souhaitent. Il n'est pas certain que le Sud veuille des six comtés économiquement sinistrés, totalement dépendants des subventions de Londres. La République est l'un des pays les plus dynamiques de la zone euro. La nation catholique et romaine a embrassé le mariage gay et l'avortement. Elle s'est même choisi comme Premier ministre Leo Varadkar, un médecin de père indien ouvertement homosexuel !

Contrairement à son voisin, le Nord est dévot et arriéré. D'ailleurs, j'ai rarement rencontré à Londres un être vivant qui se soit rendu dans ce trou perdu.

En dépit des accords de paix, les violences communautaires, la corruption et la xénophobie restent monnaie courante. À Belfast comme à Derry, un mur sépare toujours dans certains quartiers pauvres protestants et catholiques, qui coexistent à défaut de cohabiter.

Comme on le voit, après le Brexit, fort de la légende dorée de sa démocratie et des mosaïques des diverses races, religions, ethnies et cultures, le Royaume-Uni restera... uni.

Dans un tel contexte, la monarchie continuera à fédérer les divers peuples du royaume en transcendant ses différentes composantes. L'homogénéité d'un seul et même État dissimule quatre peuples très distincts, héritiers de quatre nations différentes : les Anglais, les Écossais, les Irlandais du Nord et les Gallois. S'ils ont en commun d'être sujets de la Reine, ils sont totalement dissemblables de par l'histoire, l'accent, la tournure d'esprit ou la religion.

Dean Goodman, directeur du Policy Exchange, l'un des *think tanks* londoniens les plus influents, estime que le Brexit ne peut que renforcer le rôle du monarque comme garant de l'unité de la nation : « L'institution royale nous rassemble en nous rappelant que ce qui nous lie est plus important que ce qui nous sépare, à l'instar du Brexit. »

Certes, cinq autres États membres de l'UE sont également des monarchies constitutionnelles[1]. Mais comparée à ses homologues du Vieux Continent, la lignée Tudor-Stuart-Orange-Hanovre-Saxe-Cobourg rebaptisée Windsor est la plus vibrante, comme l'indique Carolina Armenteros, historienne de l'université de Cambridge : « [...] La monarchie représente, par le truchement

---

1. Espagne, Belgique, Pays-Bas, Suède et Danemark auxquels il faut ajouter le grand-duché du Luxembourg.

de ses rituels et de ses procédures, la souveraineté, la durée et la filiation. Elle offre à la nation un sens de son identité. »

C'est en substance ce qu'a voulu dire, avec son humour habituel très flegmatique, la Reine, lors de sa première apparition publique, le 28 juin 2016, depuis que ses sujets avaient pris position pour le Brexit : « Je suis toujours en vie, malgré tout ! »

Conclusion

Bernard-Henry Lévy monologue, digresse et ironise dans l'espoir d'arrêter le processus du Brexit. Dans son stand-up show en anglais intitulé *Last Exit Before Brexit*, présenté le 4 juin 2018 à Londres, l'intellectuel engagé proclame l'indiscutable amour fou qu'il porte à l'Angleterre au détour de chaque phrase. Le philosophe a réécrit sa pièce de théâtre *Hôtel Europe* pour supplier les Britanniques de demeurer dans l'Union européenne.

Libéralisme économique, tolérance, victoire contre le nazisme... De la scène du Cadogan Hall monte un cri du cœur déchirant : « Et nous et nous ! » À écouter Lévy, l'Angleterre est le logiciel de l'Europe et, sans elle, l'UE ne sera pas grand-chose.

Certes, à l'instar de BHL, j'adore ce royaume où je vis depuis plus de trente ans au point d'avoir demandé le passeport à l'effigie de Sa Majesté.

De surcroît, je partage sa fascination pour les mêmes héros d'outre-Manche. Winston Churchill et le courage dans l'adversité, Lord Byron et son combat en faveur de l'indépendance de la Grèce, John Locke et ses écrits sur la tolérance et l'État de droit, Adam Smith pour qui il faut d'abord gagner l'argent avant de le distribuer, ou Karl Popper et la réfutation expérimentale de toute théorie scientifique... Ils ont aussi fait la grandeur du personnage shakespearien qu'est la fière Angleterre.

Mais sur le fond, je suis en total désaccord avec Bernard-Henry Lévy. Il ne faut pas rêver, le Brexit aura lieu.

Comme le démontre cet essai, la rupture des amarres va accoucher d'un pays non pas meilleur, mais différent.

Je m'explique. Le royaume qui, le 29 mars 2019, quittera l'UE ne sera certainement pas meilleur que celui qui en est sorti. Il sera plus inégalitaire et plus offshore. L'économie britannique résistera au choc du départ par le truchement des méthodes brutales qui se nomment déréglementation du marché du travail et réduction de l'État-providence.

Cependant, le Royaume-Uni ne sera jamais les États-Unis, avec leur pauvreté, leur violence et leur racisme qui font peur et dont personne ne veut outre-Manche. Le système économique et social gardera un filet de sécurité auquel il est hors de question de toucher, une harmonie et un savoir-vivre dont l'Amérique a toujours été dépourvue. La sécurité des travailleurs y sera mieux assurée que de l'autre côté de l'Atlantique.

En remodelant de fond en comble la structure économique, sociale, politique et culturelle du pays, le Brexit marque une cassure, mais qui n'a rien à voir avec un Far West où tous les coups seront permis. Le voyage sera palpitant mais aura des garde-fous.

Parallèlement à la dureté du social et au laxisme envers la City, la nouvelle nation pourra jouer en toute liberté de ses atouts. Le Brexit a tué le populisme. Le pays restera ouvert à l'immigration, mais contrôlée et non discriminatoire. Forte de son *soft power* universitaire, artistique, éducatif et technologique qui s'exporte dans le monde entier, Albion a enclenché l'avenir. « *I love London* », clament les touristes du monde entier qui s'arrachent autocollants, T-shirts, mugs, ainsi que ritournelles pop ou rythmes hard brillants.

En choisissant un autre paradigme que celui de l'Union européenne, le Royaume-Uni fait voler en éclats le statu quo. Pour remplacer les boussoles réduites en miettes, ce véritable laboratoire du futur en tend de nouvelles avec pragmatisme et humour. Ce sont de véritables antidotes à l'immobilisme.

De plus, il est plus facile de prendre les décisions seul qu'à vingt-sept. Maître de sa destinée, le Royaume-Uni disposera d'un modèle plus adapté à la nouvelle donne planétaire.

L'instabilité du contexte géopolitique actuel ne se prête pas à l'« *Europe bashing* » pratiqué jusqu'à la nausée par les tabloïds britanniques. Le Royaume-Uni et l'UE vivent les mêmes drames, défis et psychodrames.

Vu de Londres, le diagnostic est sévère. Pour le Royaume-Uni, l'UE est incapable de prendre le taureau par les cornes pour se réformer.

Rongés par le doute et les pesanteurs décisionnelles, prisonniers de leurs blocages et de leurs divisions, les Vingt-Sept apparaissent tétanisés devant la transformation profonde du paysage européen. Il a été totalement modifié par la montée du populisme, le problème migratoire, le refus des pays riches de faire preuve de solidarité envers les pauvres, la remise en cause des valeurs démocratiques ou le retour du protectionnisme.

Dans ces circonstances, la France et son président, Emmanuel Macron, portent seuls sur leurs épaules le destin d'une UE en déni de la réalité.

En choisissant le Brexit, le Royaume-Uni a été le précurseur de l'expression du désamour des citoyens européens envers le projet communautaire. Pour sortir de l'ornière, Bruxelles doit écouter la voix des peuples et non plus jouer à l'autruche. Faute de quoi, le poids de l'inertie aidant, l'UE risque de devenir obsolète.

En 1976, pour mieux comprendre les tenants et aboutissants du référendum sur l'adhésion britannique organisé un an auparavant, j'avais lu un essai remarquable. Il était intitulé *Messieurs les Anglais*, comme on les appelle depuis Fontenoy. Je l'ai relu avec le même plaisir avant de me lancer dans l'aventure de ce livre.

Le journaliste René Dabernat avait souligné de manière prémonitoire que « Le Royaume-Uni ne peut facilement passer d'un système extra-européen assuré depuis Londres et conçu à son image à un système européen créé par d'autres que lui et qui n'est pas à son image ». L'auteur concluait toutefois sur une note optimiste : le cas du Royaume-Uni démontrait qu'à travers l'Europe, une nation, loin de se défaire, peut se refaire.

Quatre décennies plus tard, les Britanniques disent au revoir à l'Union européenne. Je le revendique haut et fort : l'Angleterre, loin de s'effondrer, va se renouveler.

Et la reine Elizabeth II fêtera sans doute ses 100 ans dans son royaume régénéré, confiant en lui-même et prospère.

ANNEXES

1.

Les relations difficiles entre
le Royaume-Uni et l'Union européenne

– 1961 : Le Royaume-Uni fait acte de candidature à la Communauté économique européenne (CEE). Le président français Charles de Gaulle y met son veto en 1963 et en 1967, arguant des liens privilégiés entre Londres et Washington.

– 1973 : Sous la houlette du Premier ministre conservateur Edward Heath, le Royaume-Uni rejoint finalement la CEE le 1er janvier.

– 1975 : Les Britanniques se prononcent par référendum, organisé en juin par le Premier ministre travailliste Harold Wilson, en faveur de leur maintien au sein du Marché commun (67 %) avec l'appui de la direction de tous les partis, du patronat et des syndicats alors que l'opposition est cantonnée aux souverainistes et à l'extrême gauche.

– 1979 : Le Royaume-Uni décide de ne pas faire partie du système monétaire européen (SME). La livre sterling y adhérera en 1990.

– 1984 : La Première ministre, Margaret Thatcher, obtient le 27 juin un rabais sur la contribution britannique au budget européen en répétant inlassablement : « *I want my money back* » (« Je veux récupérer mon argent »).

– 1986 : La Dame de fer signe l'Acte unique européen qui crée le marché unique et étend le vote à la majorité qualifiée au Conseil européen. À l'appui de cette décision, la volonté de Londres que l'intégration européenne crée un grand marché sans frontières.

– 1990 : La convention de Schengen, qui instaure la libre circulation des personnes et la suppression des contrôles aux frontières intérieures, est signée par cinq pays fondateurs du Marché commun. Le Royaume-Uni obtient un statut particulier qui lui permet de ne souscrire qu'à certaines dispositions.

– 1990 : Démission, le 28 novembre, de Margaret Thatcher. Elle est remplacée au 10 Downing Street par John Major.

– 1992 : Signature du traité de Maastricht préparant la voie à une union monétaire et transformant la CEE en Union européenne. John Major obtient de ne pas adhérer au chapitre social et se ménage la possibilité de ne pas prendre part à la monnaie unique.

– 1993 : En dépit de la rébellion des eurosceptiques de son propre camp, John Major fait ratifier le traité de Maastricht.

– 1997 : Le nouveau Premier ministre travailliste, Tony Blair, ratifie le traité d'Amsterdam, signe le chapitre social de Maastricht et la Convention européenne des droits de l'homme.

– 2002 : L'euro devient monnaie légale dans douze pays. Le Royaume-Uni garde la livre sterling.

– 2004 : Dix pays de l'Est rejoignent l'UE. Le Royaume-Uni est seul parmi les 15 membres à ne pas mettre de barrières à l'arrivée d'immigrants, notamment polonais.

– 2005 : David Cameron devient leader de l'opposition conservatrice.

– 2007 : Le nouveau Premier ministre travailliste, Gordon Brown, refuse un référendum sur le traité de Lisbonne pourtant promis par Blair au profit d'une simple ratification parlementaire. Mécontent du traité, cet eurosceptique dans l'âme boycotte la cérémonie de signature.

– 2010 : David Cameron forme un gouvernement de coalition entre conservateurs et libéraux-démocrates, formation la plus pro-européenne de la politique britannique.

– 2011 : Au plus fort de la crise de la dette, David Cameron refuse de signer le pacte qui institue une discipline budgétaire commune accrue.

– 2013 : Le 23 janvier, David Cameron annonce l'organisation d'un référendum sur le maintien de son pays dans l'UE d'ici à la fin 2017.

– 2014 : Lors du référendum, le 18 septembre, l'Écosse rejette l'indépendance.

– 2015 : À l'issue du scrutin général du 7 mai, David Cameron est confortablement réélu à la tête du pays et forme un gouvernement conservateur monocolore. Les libéraux-démocrates sont laminés. Battus, les travaillistes se donnent un nouveau leader, Jeremy Corbyn, très marqué à gauche. Dans le discours du trône prononcé le 27 mai, la reine Elizabeth II annonce officiellement la tenue du référendum.

– 2016 : Lors du référendum du 23 juin, le Brexit l'emporte par 52 % contre 48 %. Le lendemain, David Cameron annonce sa démission. Il est remplacé à la tête du pays par Theresa May, le 13 juillet.

– 2019 : Le Royaume-Uni doit quitter officiellement l'Union européenne le 29 mars 2019.

2.

Grandes dates des négociations

– 12 juillet 2018 : publication du Livre blanc britannique pour l'après-Brexit.

– 19 mars 2018: La Commission européenne et le Royaume-Uni publient un premier projet d'accord sur les modalités du Brexit.

– 29 janvier 2018: Les Vingt-Sept fixent une période de transition à vingt et un mois.

– 14 et 15 décembre 2017 : Le Conseil européen accepte d'ouvrir la seconde phase de négociations.

– 8 décembre 2017 : Premier accord entre le Royaume-Uni et l'Union européenne.

– 4 décembre 2017 : Déjeuner entre Theresa May et Jean-Claude Juncker.

– 9 et 10 novembre 2017 : Sixième cycle de négociations sur le Brexit.

– 19 et 20 octobre 2017 : Les Vingt-Sept acceptent de débuter des discussions en interne sur la future relation entre le Royaume-Uni et l'UE.

– 9-12 octobre 2017 : Cinquième cycle de négociations sur le Brexit.

– 25-28 septembre 2017 : Quatrième cycle de négociations.

– 22 septembre 2017 : À Florence, Theresa May se montre plus conciliante.

– 11 septembre 2017 : Les députés britanniques actent la fin de la suprématie du droit européen.

– 28-31 août 2017 : Troisième cycle de négociations.

– 17-20 juillet 2017 : Deuxième cycle de négociations.

– 19 juin 2017 : Ouverture officielle des négociations pour le Brexit.

– 8 juin 2017 : Theresa May perd sa majorité absolue suite aux élections anticipées.

– 29 avril 2017 : Réunion extraordinaire du Conseil européen suite au déclenchement de l'article 50.

– 5 avril 2017 : Le Parlement européen définit ses lignes rouges sur les négociations.

– 29 mars 2017 : Activation de l'article 50 du traité sur l'Union européenne.

– 13 mars 2017 : Le Parlement britannique valide le déclenchement du Brexit.

– 24 janvier 2017 : La Cour suprême britannique oblige le gouvernement à consulter le Parlement sur le Brexit.

– 17 janvier 2017 : Theresa May se prononce pour un « *hard brexit* » dans son discours de Lancaster House.

– 7 décembre 2016 : Les députés britanniques votent en faveur du calendrier gouvernemental.

– 2 octobre 2016 : Discours de Theresa May sur le Royaume-Uni après le Brexit : « la vision d'une Grande-Bretagne mondiale ».

– 1er octobre 2016 : Michel Barnier entre en fonction.

– 13 juillet 2016 : Theresa May est officiellement nommée Première ministre, de façon anticipée.

– 28 et 29 juin 2016 : Premier Conseil européen post-Brexit et réunion informelle des Vingt-Sept.

– 24 juin 2016 : Les Vingt-Sept souhaitent déclencher la procédure de sortie au plus vite.

Extraits
des déclarations et communiqués

« Le contrecoup du Brexit n'a pas été aussi grave que je l'avais pensé. Je suis surpris que l'effet sur l'économie britannique n'ait pas été plus dramatique. »
Lloyd Blankfein, P-DG de Goldman Sachs, le 12 avril 2018.

« Ici au Royaume-Uni, beaucoup de patrons sont désespérés au sujet du Brexit pour avoir une meilleure idée de la route devant eux, difficile et risquée. Beaucoup veulent un vote de confirmation sur une décision si monumentale et si irréversible. Pourquoi ne pas être assuré que le consensus pour partir est toujours là ? »

Lloyd Blankfein, P-DG de Goldman Sachs,
16 novembre 2017.

Accord sur la transition (19 mars 2018)

L'Union européenne et le Royaume-Uni se sont mis d'accord sur une courte période de transition post-Brexit qui s'étalera de fin mars 2019 à fin 2020. Le Royaume-Uni ne participera plus aux décisions de l'UE mais en gardera les avantages et les devoirs. Un accord a été trouvé sur le sort des citoyens européens expatriés outre-Manche et sur la facture du divorce.

Cette nouvelle étape des tractations a pu être franchie grâce à un compromis provisoire sur l'épineuse question de la frontière irlandaise, même si aucune solution pérenne n'a encore été trouvée. « Nous avons un accord sur une période de transition » après le Brexit, a souligné Michel Barnier, négociateur en chef de l'UE.

Pendant cette période, le Royaume-Uni « ne participera plus » aux prises de décisions au sein de l'UE, tout en devant en appliquer les règles, a dit Michel Barnier. En échange, Londres conservera temporairement « tous les bénéfices du marché unique et de l'union douanière ».

Les négociateurs ont par ailleurs convenu que les citoyens de l'UE « qui arriveront [au Royaume-Uni] pendant la période de transition bénéficieront des mêmes droits que ceux arrivés avant le Brexit », a ajouté Michel Barnier. Il en ira de même pour les citoyens britanniques qui s'installeraient dans un pays de l'UE pendant la transition.

Si le Royaume-Uni devrait rester membre de l'union douanière et du marché unique pendant deux ans après sa sortie de l'UE, le gouvernement britannique aura exceptionnellement la possibilité de négocier avec des pays tiers.

« Rien n'est acquis tant que tout n'est pas réglé », insiste Michel Barnier.

Brexit : la Commission européenne recommande au Conseil européen (article 50) de constater la réalisation de progrès suffisants (8 décembre 2017)

« La Commission européenne a aujourd'hui recommandé au Conseil européen (article 50) de conclure que des progrès suffisants avaient été accomplis au cours de la première phase des négociations au titre de l'article 50 avec le Royaume-Uni.

Il appartient désormais au Conseil européen (article 50) de décider le 15 décembre 2017 si des progrès suffisants ont été effectivement réalisés pour passer à la deuxième étape des négociations.

L'évaluation de la Commission repose sur un rapport conjoint établi par les négociateurs de la Commission et du gouvernement du Royaume-Uni, que la Première ministre britannique, Mme Theresa May, a entériné aujourd'hui lors d'une réunion avec le président M. Jean-Claude Juncker.

La Commission est convaincue que des progrès suffisants ont été accomplis dans chacun des trois domaines prioritaires que constituent les droits des citoyens, le dialogue sur l'Irlande/l'Irlande du Nord et le règlement financier, tels que définis dans les orientations du Conseil européen du 29 avril 2017. Le négociateur de la Commission a veillé à ce que les choix de vie faits par les citoyens de l'Union vivant au Royaume-Uni soient protégés. Les citoyens de l'Union vivant au Royaume-Uni et les citoyens britanniques installés dans l'UE-27 conserveront les mêmes droits une fois que le Royaume-Uni aura quitté l'UE. La Commission a aussi fait en sorte que les éventuelles procédures administratives soient peu coûteuses et simples pour les citoyens de l'Union au Royaume-Uni.

En ce qui concerne l'accord financier, le Royaume-Uni a consenti à ce que les engagements pris par l'UE-28 soient honorés par les 28 États membres, c'est-à-dire y compris par le Royaume-Uni.

Pour ce qui est de la frontière entre l'Irlande et l'Irlande du Nord, le Royaume-Uni reconnaît la singularité de l'île d'Irlande et a pris des engagements importants pour éviter la mise en place d'une frontière physique.

Tous les détails de l'évaluation susmentionnée figurent dans la communication de la Commission sur l'état d'avancement des négociations avec le Royaume-Uni. »

Lettre ouverte de la Première ministre, Theresa May, aux ressortissants de l'UE au Royaume-Uni (19 octobre 2017)

« J'ai fait clairement savoir tout au long de ce processus que les droits des citoyens sont ma première priorité. Et je sais que mes collègues européens ont le même objectif : sauvegarder les droits des ressortissants de l'UE résidant au Royaume-Uni et des ressortissants britanniques résidant dans l'UE.

Je tiens à vous assurer que cette question demeure une priorité, que nous sommes unis sur les principes fondamentaux et que l'objectif au cours des prochaines semaines sera de parvenir à un accord qui fonctionne pour ceux qui résident au Royaume-Uni et dans l'UE.

Lorsque nous avons commencé ce processus, certains nous ont reproché de traiter les ressortissants comme une monnaie d'échange. Rien n'est plus loin de la vérité. Les citoyens de l'UE qui ont fait leur vie au Royaume-Uni ont contribué énormément à notre pays. Nous voulons qu'ils restent ainsi que leurs familles. Je ne peux pas être plus claire : les citoyens de l'UE qui vivent légalement au Royaume-Uni aujourd'hui pourront rester.

[…]

Nous voulons que les gens restent et que les familles restent ensemble. Nous apprécions énormément les contributions des ressortissants de l'UE au tissu économique, social et culturel du Royaume-Uni. Et je sais que les États membres apprécient également les ressortissants britanniques qui vivent dans leurs communautés. J'espère que ces assurances, avec celles du Royaume-Uni et de la Commission européenne la semaine dernière, apporteront une certitude supplémentaire aux 4 millions de personnes naturellement inquiètes de ce que signifie le Brexit pour leur avenir. »

Discours de la Sorbonne du président de la République Emmanuel Macron (26 septembre 2017)

« Je suis venu vous parler d'Europe. "Encore", diront certains. Ils devront s'habituer parce que je continuerai. Et parce que notre combat est bien là, c'est notre histoire, notre identité, notre horizon, ce qui nous protège et ce qui nous donne un avenir. [...]

La seule voie qui assure notre avenir, celle dont je veux vous parler aujourd'hui, c'est à nous, à vous de la tracer. C'est la refondation d'une Europe souveraine, unie et démocratique.

Face à chacun de ces enjeux, nous devons désormais engager des actions concrètes. La première clé, le fondement de toute communauté politique, c'est la sécurité. Nous vivons en Europe un double mouvement : un désengagement progressif et inéluctable des États-Unis, et un phénomène terroriste durable qui a pour projet assumé de fracturer nos sociétés libres. L'Europe, dans ces domaines, a enfin pris conscience de ses fragilités et de la nécessité d'agir ensemble. Nous devons amplifier les travaux engagés pour lutter contre le financement du terrorisme, et la propagande terroriste sur Internet. Nous avons commencé à le faire, à quelques-uns. Nous devons renforcer notre cybersécurité et créer un espace de sécurité et de justice commun.

Mais il nous faut aller plus loin. Ce qui manque le plus à l'Europe aujourd'hui, cette Europe de la défense, c'est une culture stratégique commune. Notre incapacité à agir ensemble de façon convaincante met en cause notre crédibilité en tant qu'Européens. Nous n'avons pas les mêmes cultures parlementaires, historiques, politiques, ni les mêmes sensibilités. Et nous ne changerons pas cela en un jour. Mais je propose dès à présent d'essayer de construire cette culture en commun, en proposant une initiative européenne d'intervention visant à développer cette culture stratégique partagée.

Assurer notre souveraineté, c'est la deuxième clé, à l'échelle européenne, c'est maîtriser nos frontières en préservant nos valeurs. La crise migratoire n'est pas une crise, c'est un défi qui durera pour longtemps. Il s'est installé sur les inégalités profondes de la mondialisation. Et l'Europe n'est pas une île. Nous sommes là, et notre destin est lié à celui du Proche- et Moyen-Orient comme à celui de l'Afrique. Face à ce défi, c'est là aussi, au niveau européen, que nous devons répondre.

Vous l'avez compris, la troisième clé de notre souveraineté, c'est cette politique étrangère, ce partenariat avec l'Afrique […].

La quatrième clé de notre souveraineté, c'est d'être capable de répondre à la première des grandes transformations du monde, la transition écologique. Cette transformation complète révolutionne notre manière de produire, de redistribuer, de nous comporter [...].

La cinquième clé de notre souveraineté passe par le numérique. Ce défi est aussi celui d'une transformation profonde de nos économies, de nos sociétés, de nos imaginaires même. La transformation numérique, ce n'est pas un secteur d'activité, ça n'est pas une anecdote contemporaine et l'Europe a beaucoup à y perdre comme à y gagner [...].

La souveraineté, enfin, c'est la puissance économique industrielle et monétaire. Faire du cœur de l'Europe une puissance [...], cela passe bien entendu par la politique énergétique et la politique du numérique que je viens d'évoquer. C'est aussi la poursuite d'une politique spatiale ambitieuse et de la consolidation d'une industrie européenne compétitive à l'échelle mondiale. Mais une puissance économique durable ne peut se construire qu'autour d'une même monnaie, c'est pourquoi je suis profondément attaché à l'ambition de la zone euro. Je n'ai pas la zone euro honteuse, je suis désolé de cela [...].

Qu'a dit le peuple britannique au moment du Brexit ? Les classes moyennes britanniques ont dit : "J'aime bien votre compétitivité mais elle ne me concerne pas, l'attractivité de la place de Londres n'est pas faite pour moi." Qu'a dit le peuple américain quand on écoute bien ? "Cette Amérique ouverte à tous les vents, cette compétitivité que vous nous avez expliquée, elle n'est pas faite pour nous classes moyennes." Un repli s'opère, qui vient de là, partout où les démocraties ont été au bout de cette ambition unique pour une compétitivité sans justice, elles en ont touché les limites.

215

Si nous pouvons accepter cet élargissement exigeant, c'est aussi parce que le socle renforcé de l'Union européenne permettra des différenciations plus grandes. Et j'assume pleinement cette philosophie. L'Europe est déjà à plusieurs vitesses, alors, n'ayons pas peur de le dire et de le vouloir ! C'est parce que ceux qui vont plus vite n'osent plus aller de l'avant que le goût même de cette ambition s'est perdu, que les autres les ont regardés avancer pour finir par se dire : "Ça n'a pas l'air d'être si bien cette avant-garde de l'Europe, ils n'osent même plus se réunir, ils n'osent plus proposer, ils n'osent plus avancer."

Non, allons vers ces différenciations, vers cette avant-garde, ce cœur de l'Europe. »

Première déclaration de Mme Theresa May en tant que Première ministre (13 juillet 2016)

« Nous traversons une période importante de l'histoire de notre pays. À la suite du référendum, nous nous trouvons confrontés à une mutation majeure pour le pays.

Or je sais bien qu'étant la Grande-Bretagne, nous allons être à la hauteur de ce défi. En quittant l'Union européenne, nous allons nous forger un rôle à la fois neuf et audacieux dans le monde, et nous allons faire de la Grande-Bretagne un pays qui fonctionne bien non pour quelques privilégiés, mais pour chacun d'entre nous.

Telle va donc être la mission du gouvernement que je dirige, et nous allons ensemble agir de façon constructive pour rendre encore meilleure la Grande-Bretagne. »

Déclaration conjointe de Martin Schulz,
président du Parlement européen, Donald Tusk,
président du Conseil européen, Mark Rutte,
présidence tournante du Conseil de l'UE,
et Jean-Claude Juncker, président
de la Commission européenne (24 juin 2016)

« Dans un processus libre et démocratique, les Britanniques ont exprimé leur souhait de quitter l'Union européenne. Nous regrettons cette décision, mais nous la respectons.

C'est une situation sans précédent mais nous sommes unis dans notre réponse. Nous resterons fermes et nous défendrons les valeurs fondamentales de l'Europe qui consistent à promouvoir la paix et le bien-être de ses peuples. L'Union de vingt-sept États membres continuera. L'Union est le cadre de notre avenir politique commun. Nous sommes liés ensemble par l'histoire, la géographie et des intérêts communs, et c'est sur cette base que nous développerons notre coopération. Ensemble nous relèverons nos défis communs : générer de la croissance, accroître la prospérité et assurer stabilité et sécurité pour nos citoyens. Les institutions joueront pleinement leur rôle dans cet effort.

Nous attendons maintenant du gouvernement du Royaume-Uni qu'il donne suite aussi rapidement que possible à la décision du peuple britannique, si douloureux cela soit-il. Tout délai prolongera inutilement l'incertitude. Nous avons des règles pour traiter de cette situation d'une manière ordonnée. L'article 50 du traité sur l'Union européenne établit la procédure à suivre dans le cas où un État membre décide de quitter l'Union européenne. Nous nous tenons prêts à lancer rapidement des négociations avec le Royaume-Uni sur les termes et conditions de son retrait de l'Union européenne. Jusqu'à la fin de ce processus de négociations, le Royaume-Uni reste un membre de l'Union européenne, avec tous les droits et obligations qui en découlent. Selon les traités que le Royaume-Uni a ratifiés, le droit de l'UE continue à s'appliquer pleinement au et dans le Royaume-Uni jusqu'à ce qu'il ne soit plus un membre.

Comme convenu, le "Nouvel Arrangement pour le Royaume-Uni dans l'UE", atteint lors du Conseil européen des 18-19 février 2016, ne prendra maintenant pas effet et cesse d'exister. Il n'y aura pas de renégociations.

En ce qui concerne le Royaume-Uni, nous souhaitons qu'il soit à l'avenir un partenaire proche de l'Union européenne. Nous espérons que le Royaume-Uni formulera ses propositions à cet égard. Tout accord qui sera conclu avec le Royaume-Uni comme pays tiers devra prendre en compte les intérêts des deux parties et être équilibré en termes de droits et obligations. »

Déclaration du Premier ministre britannique, David Cameron (24 juin 2016)

« La volonté du peuple britannique s'est traduite par une instruction qui doit être mise en œuvre. Ce n'est pas une décision qui a été prise à la légère, ne fût-ce que parce que tant de choses ont été dites par tellement d'organisations différentes sur le sens de cette décision.

Donc il ne peut y avoir aucun doute quant au résultat.

À travers le monde, les gens ont observé le choix fait par la Grande-Bretagne. Je voudrais rassurer les marchés et les investisseurs sur le fait que les fondamentaux de l'économie britannique sont solides.

Et je voudrais également rassurer les Britanniques vivant dans les pays européens et les citoyens européens vivant au Royaume-Uni sur le fait qu'il n'y aura aucun changement immédiat de leur situation. Il n'y aura aucun changement immédiat quant à la possibilité pour les Britanniques de voyager, à nos biens de circuler, et à nos services d'être vendus.

Cependant, le peuple britannique a pris une décision très claire qui est de prendre un chemin différent et, de ce fait, je crois que ce pays a besoin d'un nouveau leadership. »

3.

Le Commonwealth,
une affaire de famille

Le Commonwealth – 2 milliards d'habitants, plus de 30 %
de l'humanité –, c'est d'abord une réunion de famille
regroupant 54 pays, pour l'essentiel constitués des anciennes
colonies et dominions de la Couronne.

L'Inde, pays d'un milliard d'habitants, et l'archipel du
Kiribati perdu dans le Pacifique sud qui en compte à
peine 70 000, parlent la même langue, l'anglais, partagent
quelques-uns des mêmes préjugés, le thé à quatre heures, la
valeur des diplômes d'Oxford et de Cambridge, le système
parlementaire copié sur le palais de Westminster et un
système judiciaire basé sur la *common law* (droit commun
anglais), sans oublier le sang versé ensemble pendant deux
guerres mondiales.

La langue anglaise n'est plus une condition *sine qua non*
d'adhésion. Le Mozambique, ancienne colonie portugaise,
et le Rwanda, ex-possession belge, ont rejoint le club anglo-
phone pour s'ancrer à leurs voisins du cône sud de l'Afrique.

Créé en 1931, qualifié de « rayon de lune, incassable et
insaisissable » par Churchill, dépourvu d'unité géographique
mais présent sur tous les continents, le Commonwealth est
une association sans charte, sans structure juridique ou administrative, seulement doté d'un secrétariat basé à Londres.

Le lien est surtout culturel, technologique ou concerne l'aide au développement. Un sommet des chefs d'État et de gouvernement se réunit tous les deux ans. Des Jeux du Commonwealth sont organisés tous les quatre ans.

Chef du Commonwealth, la Reine est chef d'État de seize pays (*Realms*) de cette libre association où chacun a voix au chapitre :

Royaume-Uni
Antigua-et-Barbuda
Australie
Bahamas
Barbade
Belize
Canada
Grenade
Jamaïque
Nouvelle-Zélande
Papouasie-Nouvelle-Guinée
Saint-Christophe-et-Niévès
Sainte-Lucie
Saint-Vincent-et-les-Grenadines
Îles Salomon
Tuvalu

4.

Les grandes dates
du règne d'Elizabeth II

– 1926 Naissance à Londres, le 21 avril.

– 1936 Mort, le 20 janvier, du roi George V. Abdication, le 11 décembre, d'Edward VIII. George VI monte sur le trône et Elizabeth devient princesse héritière.

– 1947 Mariage, le 20 novembre, avec le prince Philip à l'abbaye de Westminster.

– 1948 Naissance du prince Charles.

– 1950 Naissance de la princesse Anne.

– 1952 Accession au trône, le 6 février, à la mort de Georges VI.

– 1953 Couronnement, le 2 juin, télévisé.

– 1955 La princesse Margaret abandonne son projet d'épouser Peter Townsend.

– 1957 Démission du Premier ministre Anthony Eden. Le Parti conservateur et non la Reine choisit son successeur, Harold Macmillan.

– 1965 Mort de Winston Churchill.

– 1973 Adhésion du Royaume-Uni à la Communauté européenne.

– 1974 Appelle le travailliste Harold Wilson à former un gouvernement.

– 1977 Jubilé d'argent.

– 1979 Margaret Thatcher devient Première ministre. Lord Mountbatten est assassiné par l'Armée républicaine irlandaise.
– 1981 Mariage, le 29 juillet, du prince Charles et de Lady Diana Spencer à la cathédrale Saint-Paul.
– 1982 Naissance du prince William. Guerre des Malouines.
– 1984 Naissance du prince Harry.
– 1986 L'inquiétude de la souveraine à propos des risques d'éclatement du Commonwealth a raison du refus de sa Première ministre, Margaret Thatcher, d'approuver des sanctions économiques d'envergure contre l'Afrique du Sud de l'apartheid.
– 1991 Premier chef d'État britannique à s'adresser au Congrès américain.
– 1992 *Anuus horribilis* (« l'année maudite »). Scandales et catastrophes en série : séparation Andrew-Sarah et divorce Anne-Mark ; publication, en juillet, du livre *Diana, sa vraie histoire*, écrit par Andrew Morton et faisant ouvertement allusion à sa tristesse et à une tentative de suicide et, le 20 novembre, incendie du château de Windsor. Le 9 décembre, le Premier ministre, John Major, annonce la séparation « à l'amiable » de Charles et de Diana. La Reine accepte de payer des impôts sur ses revenus.
– 1994 Dans un entretien télévisé resté célèbre, Charles reconnaît avoir trompé Diana après l'échec de leur mariage. Dans une biographie autorisée, publiée ensuite, la liaison de Charles et de Camilla est confirmée.
– 1995 Diana donne à son tour une interview télévisée, dans laquelle elle lance : « Il y avait embouteillage, nous étions trois dans ce mariage. »
– 1996 Divorce de Charles et de Diana.
– 1997 Disparition de Diana. Le silence de la Reine soulève de vives critiques. Tony Blair vient à la rescousse de la famille royale.

– 2000 Gel de la Liste civile pour dix ans.

– 2002 Jubilé d'or. Mort de la princesse Margaret et de la reine mère Elizabeth.

– 2005 Mariage de Charles et Camilla, le 9 avril, à la mairie de Windsor.

– 2006 Célébration des 80 ans de la souveraine.

– 2007 Célébration du 60e anniversaire de son mariage avec Philip.

– 2011 Mariage de son petit-fils William, deuxième dans l'ordre de succession, avec Kate Middleton. Réunion du Commonwealth en Australie où est décidé un changement des règles de succession au trône britannique, permettant à une fille aînée d'hériter.

– 2012 Le Jubilé de diamant marque les 60 années de règne d'Elizabeth II. Ouverture des Jeux olympiques de Londres.

– 2015 Le 9 septembre, elle devient le monarque britannique le plus âgé, ayant le plus long règne devant Victoria, et le plus ancien souverain encore en exercice depuis le décès du roi Rama IX de Thaïlande le 13 octobre 2016.

– 2018 Mariage du prince Harry avec Meghan Markle.

La reine Elizabeth et le prince Philip ont quatre enfants, huit petits-enfants et six arrière-petits-enfants.

Ordre de succession au trône britannique, après la reine Elizabeth II du Royaume-Uni de Grande-Bretagne et d'Irlande du Nord, de ses autres royaumes et territoires, chef du Commonwealth, défenseur de la foi.

S.A.R. le prince Charles, prince de Galles (1948), fils de la reine Elizabeth II.

S.A.R. le prince William, duc de Cambridge (1982), fils du prince de Galles.

S.A.R. le prince George de Cambridge (2013), fils du duc de Cambridge.

S.A.R. la princesse Charlotte de Cambridge (2015), fille du duc de Cambridge.

S.A.R. le prince Louis de Cambridge (2018), fils du duc de Cambridge.

S.A.R. le prince Henry (dit Harry), duc de Sussex (1984), fils du prince de Galles.

S.A.R. le prince Andrew, duc d'York (1960), fils de la reine Elizabeth II.

S.A.R. la princesse Beatrice d'York (1988), fille du duc d'York.

S.A.R. la princesse Eugenie d'York (1990), fille du duc d'York.

5.

Les six reines d'Angleterre

– Mary Ire
1553-1558
Née à Greenwich en 1516.
Épouse Philippe II d'Espagne. Catholique fanatique, d'où son surnom de Marie la Sanglante en raison de ses persécutions des protestants.
Perte de Calais, dernière possession britannique en France.

– Elizabeth Ire
1558-1603
Fondation de l'empire, défaite de l'Armada espagnole, ère de Shakespeare, restauration du protestantisme, exécution de Marie Stuart d'Écosse.

– Mary II
1689-1694
Co-souveraine avec son mari, le roi William III d'Orange.

– Anne
1702-1714
Épouse du prince George du Danemark. Union entre l'Angleterre et l'Écosse (1707). Dernier souverain à présider le Conseil privé et à refuser la signature d'une loi.

– Victoria

1837-1901

Le plus long règne des souverains britanniques. Épopée impériale fantastique glorifiée par Kipling et Disraeli, ordre moral fondé sur les trois R : respectabilité, responsabilité, rectitude – et misère de la classe ouvrière.

– Elizabeth II

1952-

6.

La City

– Statut : autonome du pouvoir central, la City, sorte d'État dans l'État, dispose de son propre gouvernement et de sa propre force de police. Représentant les 113 guildes de métier qui remontent au Moyen Âge, les membres des deux assemblées, basse et haute, sont cooptés. Fondée en 1067, la City of London Corporation gère un vaste patrimoine, un large parc immobilier, plusieurs ponts sur la Tamise, le centre culturel Barbican Center, l'école de commerce Cass Business School, des écoles et la colline boisée de Hampstead.

– Étendard : deux griffons, les animaux de la mythologie avec des ailes, une tête d'aigle et un corps de lion enserrant dans leurs griffes un bouclier frappé de la devise « *Domine Deripe Nos* » (« Mon Dieu, guidez-nous »).

– Superficie : 2,9 km², d'où le surnom de *square mile* (« mile carré »).

– Nombre de résidents : 10 000.

– Nombre d'emplois : 352 000 (directs), 1 million (indirects). Premier employeur privé de la capitale.

– Nombre de banques étrangères : 250 (160 000 employés).

– Part des services financiers dans le PIB britannique : 14 %.

– Part des avoirs bancaires britanniques détenus par les banques européennes : 17 %.

Emplois directs dans la finance :

Londres 352 000
Paris 270 000
Francfort 76 000
Amsterdam 54 000
Dublin 20 000

Places financières
les plus attractives du monde[1]

1. Londres
2. New York
3. Hong Kong
4. Singapour
5. Tokyo
6. Shanghai
7. Toronto
8. San Francisco
9. Sydney
10. Boston
20. Francfort
21. Luxembourg
24. Paris

---

1. Global Financial Centres, mars 2018.

7.

Les ressortissants européens

Nombre de citoyens européens au Royaume-Uni : 3,16 millions
Nombre de citoyens britanniques dans l'UE : 1,22 million
dont :
254 761 en Irlande
103 352 en Allemagne
64 986 en Italie
308 821 en Espagne
185 344 en France
(Source : Parlement européen, 2015.)

Londres, ville-monde

Population : 8 millions d'habitants
Part née en dehors du Royaume-Uni : 37 %
Hausse de la population née à l'étranger depuis 2001 :
+ 54 % (contre – 1 % pour les autochtones).
Part de la population née à l'étranger de nationalité britannique : 52 %
Répartition des immigrants selon la nationalité : 1. Inde 2. Pologne 3. Irlande 4. Nigeria 5. Pakistan.

Langues les plus parlées : 1. polonais 2. bengali 3. gujurati 4. français 5. urdu.

Nombre de Français : 200 000

Nombre de Belges : 11 000

(Source : dernier recensement, 2011.)

EN GUISE DE REMERCIEMENTS

J'exprime toute ma reconnaissance au talentueux Dominique Dunglas, un ami de plus de trente ans, qui a corrigé le manuscrit avec intelligence et clairvoyance.

Mes remerciements vont aussi à mon ancien collègue du *Point*, Michel Richard. Sans ses conseils, l'ouvrage n'aurait pu être mené à bien.

Je me permets de remercier les responsables des journaux auxquels je contribue régulièrement, *Le Point* et *Le Soir*, ainsi que Nick Guthrie, producteur de l'émission de la BBC *Dateline London*.

Je suis reconnaissant à tous ceux qui ont aidé ou qui ont encouragé le projet :

Baptiste Aboulian, Éric Albert, Jacques Audibert, Catherine Barnard, Anthony Barnett, Jérôme Béglé, Duncan Bell, John Bender, Hillary Benn, Philippe Bernard, Christophe Berti, William Bourton, Jean-Luc Bréchat,

Roger Bootle, William Boyd, Colette Braeckman, Jeremy Browne, Franz Buscha, Miles Celic, John Christensen, Pepper Culpepper, Béatrice Delvaux, Cécile Ducourtieux, Étienne Gernelle, David Goodhart, Charles Grant, André Grjebine, Romain Gubert, Seamus Haley, Chérif Hamiti, François Heisbourg, Nick Hillman, Alexandre Holroyd, Patrick Jenkins,

Paul Johnson, John Kampfner, Philip Kelly, Jurek Kuczkiewicz, Maroun Labaki, Clément Lacombe, Pascal Lamy, Mathieu Laine, Stéphane Lauer, Sébastien Le Fol, Lord King, Robert Lacey, Ruth Lea, Richard Lumb, Virginie Malingre, David Martin Jones, David Marsh, Paul Marshall, Patrick Minford, Robin Niblett, Anand Menon, Christian Noyer, Michel Ogrizek, Robert Ophèle, Lord Owen, Guy Platten, Jonathan Powell, Jean Quatremer, Meurig Raymond, Gérard Rameix, John Redwood, Andrew Roberts, André Sapir, Brendan Simms, Ugo Simon, John et Tita Shakeshaft, Jean-Luc Schilling, Alan Sked, John Springford, Jean-Pierre Stroobants, Paola Subacchi, Robert Tombs, Tony Travers, Herman Van Rompuy, Guy Verhofstadt, Nicholas Veron, Peter Wilson-Smith.

Une mention particulière est adressée à un ami de longue date, François Turmel, pour son soutien à ma carrière littéraire, au réalisateur de documentaires et ami Jérôme Fritel, à mon avocate parisienne, maître Florence Bourg, et à mon préparateur physique, Arnau Martinez.

Il en va de même des très nombreux interlocuteurs qui ont répondu à mes questions tout en réclamant l'anonymat.

J'en sais gré également à l'ambassadeur de France à Londres, Jean-Pierre Jouyet, et à toute son équipe pour m'avoir aidé à prendre des contacts.

Que mon éditeur, Alexandre Wickham, trouve ici l'expression de ma gratitude. Je tiens également à remercier sa collaboratrice, Patricia Picard, ainsi que toute l'équipe de cette merveilleuse et loyale maison qu'est Albin Michel pour son formidable travail.

Table

Prologue 11

1. Moi, sujet de Sa Majesté
   que l'on dit gracieuse 17
2. Bataille perdue pour gagner la guerre 31
3. Bruxelles, cour des Miracles 45
4. *Soft power* 57
5. Un paradis fiscal
   aux portes de l'Europe ? 71
6. Jupiter, le beurre et l'argent du beurre.... 85
7. Vive les inégalités ! 99
8. Une société multiculturelle cinq étoiles..... 113
9. L'économie du savoir est anglaise 127
10. Le cheval de Troie de la Chine
    en Europe 143
11. Brexit avec croissance 157
12. Brexit plus export 169
13. Une vraie démocratie 183

Conclusion 199
Annexes 203

DU MÊME AUTEUR

Diana. Une mort annoncée,
avec Nicholas Farell, Scali, 2006

Elizabeth II, la dernière reine,
La Table ronde, 2007

Un ménage à trois,
Albin Michel, 2009

La Banque
Albin Michel, 2010

Le Capitalisme hors la loi,
Albin Michel, 2010

Les Banksters
Albin Michel, 2014

Histoire secrète d'un crash qui dure,
Albin Michel, 2016

Diamants : enquête sur un marché impur,
Tallandier, 2017

Composition Nord Compo
Impression CPI Bussière en août 2018
Éditions Albin Michel
22, rue Huyghens, 75014 Paris
www.albin-michel.fr
ISBN : 978-2-226-40221-9
N° d'édition : 22870/01 – N° d'impression : 2036731
Dépôt légal : septembre 2018
Imprimé en France